extraterrestre

Miguel Ángel Herrera

Tercer Milenio

Consejo Nacional para la Cultura y las Artes

Primera edición en Tercer Milenio: 1999

Primera reimpresión en Tercer Milenio: 2003

Segunda reimpresión en Tercer Milenio: 2006

Producción:

CONSEJO NACIONAL PARA LA CULTURA

Y LAS ARTES

DIRECCIÓN GENERAL DE PUBLICACIONES

© Leonardo Herrera Salinas

Héctor Herrera Salinas

D.R. © 2006, de la presente edición

Dirección General de Publicaciones

Av. Paseo de la Reforma 175

Cuauhtémoc, CP 06500

México, D.F.

ISBN: 970-35-0428-0

Impreso y hecho en México

¿Estamos solos en el Universo? ¿Somos únicos? Pocas preguntas atraen más que éstas al público. Por ello cada vez que se exponen los resultados más recientes de alguna misión espacial, se hacen repetidas referencias al carácter favorable u hostil de las condiciones físicas del astro recién explorado para la vida. Así, las noticias "públicas" suelen incluir información sobre las temperaturas reinantes en el planeta, sobre si éste cuenta o no con atmósfera y, cuando la hay, sobre los gases que la componen y la capacidad de éstos para desencadenar procesos biológicos o intervenir en ellos. Sin embargo, es muy raro que mencionen descubrimientos sobre la *densidad** de partículas cargadas eléctricamente, sobre la magnitud e intensidad de sus *campos magnéticos** o sobre la estructura interna del planeta o satélite, ya que estos datos —tan importantes como los primeros, aunque sólo marginalmente relacionados con la vida— suelen interesar sólo a los especialistas.

Por desgracia, esta inquietud, sana y legítima, que todos tenemos por la vida extraterrestre ha permitido que gente mal informada convierta lo que es un tema de investigación científica seria, y por tanto sujeto a un análisis racional y objetivo, en algo más parecido a un espectáculo popular. De ahí la necesidad de abordar, de manera sencilla, directa y sin falsas exageraciones, el estado actual de nuestros conocimientos sobre el asunto. Ése es el propósito de este libro. En él veremos qué han pensado nuestros antepasados sobre la vida extraterrestre, cómo han ido evolucionando nuestras ideas al respecto, qué saben —y qué piensan sobre lo que *no* saben— los científicos, qué tan probable es la existencia de civilizaciones en otros mundos y qué pasos se están dando para, en caso de que existan, tratar de establecer contacto con ellas.

ÍNDICE

Algo de historia

La posibilidad de que otros astros estén habitados siempre ha atraído al hombre. Nuestros antepasados nos han legado desde simples frases hasta libros enteros donde exponen sus ideas al respecto. Aunque éstas suelen ser relativamente ingenuas, vale la pena recordar algunas de las que tuvieron mayor repercusión en la historia del pensamiento.

El poeta francés del siglo XVII Savinien Cyrano de Bergerac (1619-1655) fue, tal vez, el autor que mostró más fantasía al tratar la vida extraterrestre. Le dedicó dos obras: Voyage dans la Lune (Viaje a la Luna) e Histoire comique des États et des Empires du Soleil (Historia cómica de los estados e imperios del Sol).

Contra lo que pudiera pensarse, la idea de que son posibles otros mundos habitados no es actual. Por el contrario, ha sido muy común a lo largo de buena parte de la historia de la humanidad. En el siglo V antes de nuestra era, el filósofo griego Anaxágoras (c. 500 a.C.-c. 428 a.C.) creía que la Luna estaba habitada y que "los gérmenes invisibles de la vida, que son la causa del origen de todo lo vivo, están sembrados por todas partes". Y hace más de 2 000 años, otro filósofo griego, Metrodoro (siglo III a.C.), afirmaba que "creer que el nuestro es el único mundo habitado en el espacio infinito es tan absurdo como asegurar que en un vasto campo sembrado ha crecido sólo una espiga de trigo". A principios de la era cristiana, Tito Caro Lucrecio (c. 95 a.C.-c. 55 a.C.) escribió más o menos lo mismo en su célebre obra De Rerum Natura (Sobre la naturaleza de las cosas), y, 1 600 años más tarde, Giordano Bruno (1548-1600) murió en la hoguera por afirmar (entre otras cosas) que las estrellas son soles semejantes al nuestro y que, por tanto, debe haber planetas habitados.

El astrónomo inglés (nacido en Alemania) William Herschel creía que el Sol está cubierto por nubes luminosas que nos ocultan a sus habitantes.

Esa idea se reforzó un poco más tarde, cuando

Galileo (1564-1642) vio montañas en la Luna con la ayuda de su rudimentario telescopio (1610), comprobando así que se trataba de un "mundo" como la Tierra, y se reafirmó aún más cuando por fin se aceptó el modelo del sistema solar de Nicolás Copérnico (1473-1543), según el cual la Tierra no es el centro del Universo, sino un planeta más que gira en torno al Sol, al igual que Mercurio, Venus y los demás planetas. De hecho, el convencimiento de que la Tierra no es un astro especial, sino uno "común y corriente", se exageró a tal grado en los siglos posteriores que muchos científicos comenzaron a pensar que *todos* los planetas deberían estar habitados. El mismo William Herschel (1738-1822), uno de los astrónomos más grandes de todos los tiempos, ¡creía que el Sol estaba habitado! Según él, las manchas solares eran agujeros en las nubes luminosas del Sol por donde podríamos ver a sus habitantes.

En suma, el tema de la vida extraterrestre siempre ha estado en la mente del ser humano. Y no sólo en la de los especialistas, sino en la de todo mundo. Baste recordar la avidez con que el gran público recibió, a mediados del siglo pasado, el libro *Sobre la pluralidad de los mundos habitados* (1861), del joven astrónomo francés Camille Flammarion (1842-1925). Tal obra se convirtió, inmediatamente, en el primer *best seller* astronómico, a tal grado que, sólo en Francia, tuvo ¡30 ediciones en 20 años!

A lo largo de la historia, filósofos, científicos, artistas y hombres comunes y corrientes se han preguntado si estamos solos en el Universo. Sus opiniones han sido tan variadas como sus actividades, pero la idea que más ha prevalecido —excepto durante las primeras décadas del siglo XX— es que resulta muy probable que sí haya vida extraterrestre.

Herschel no fue el único astrónomo que escribió sobre habitantes de otros mundos. El alemán Johannes Kepler (1571-1630), famoso por sus tres leyes del movimiento planetario, escribió un breve cuento llamado "Somnium" en el que narra un encuentro con habitantes de la Luna. Muchos lo consideran el primer cuento de ciencia ficción.

¿Qué es la vida? Los espectaculares avances de las ciencias naturales a fines del siglo pasado y principios del presente nos han permitido abordar el problema de la vida desde un punto de vista científico. Aunque persisten muchísimas dudas y preguntas por responder, estamos cada vez más cerca de responder ésta: ¿qué es la vida?

En 1953, los químicos Stanley Miller (n. 1930) y Harold Urey (1893-1981) llevaron a cabo un experimento que demostró, fuera de toda duda, que los elementos presentes en la atmósfera primitiva de la Tierra se combinan espontáneamente, en presencia de calor y descargas eléctricas, y, al hacerlo, forman moléculas características de los seres vivos.

Es importante hacer notar que las ideas que se tenían sobre la vida —y, en particular, sobre la vida extraterrestre— hasta antes de este siglo no pasaban de ser meras especulaciones sin fundamento científico alguno. Por fortuna, hoy día ya estamos en condiciones de abordar el tema desde un punto de vista realmente científico.

Para hablar de vida extraterrestre, el primer paso, desde luego, consiste en definir qué es la vida. La respuesta no es nada fácil —de hecho, se han propuesto muchas— y prueba de ello son las acaloradas discusiones que el tema aún suscita entre los especialistas. Sin embargo, aquí no tenemos por qué complicarnos la vida con tecnicismos o con sutilezas, así que, para evitar entrar en engorrosas discusiones filosóficas, vamos a limitarnos a buscar alguna característica sencilla que distinga a la materia inanimada (la no viva) de la materia viva. Por supuesto, daremos por hecho que la vida no es un fenómeno de origen divino, sino el resultado de procesos completamente naturales.

Las moléculas de agua (izquierda) son muy sencillas, mientras que las del ácido desoxirribonucleico (ADN), base de la vida en la Tierra, poseen estructuras muy complejas.

Toda la materia —viva y no viva— está formada por *moléculas**, y éstas, a su vez, están formadas por *átomos**. Lo interesante es que los átomos que constituyen las moléculas de los seres vivos ¡son exactamente los mismos que constituyen las moléculas de la materia inerte! Los seres vivos son ricos en átomos de carbono (C), oxígeno (O), hidrógeno (H) y nitrógeno (N) que son los átomos que más abundan en nuestro entorno. El agua, por ejemplo, está constituida por moléculas de dos átomos de hidrógeno y uno de oxígeno (por eso su fórmula química es H_2O), mientras que el aire es en esencia una mezcla de moléculas de nitrógeno (N_2), oxígeno (O_2) y bióxido de carbono (CO_2). Y sucede, estimado lector, que usted y yo también estamos formados —sobre todo— por esos mismos átomos. Entonces, ¿por qué nosotros estamos vivos y ni el aire ni el agua lo están?

Algo que claramente tienen en común las moléculas que forman al agua y al aire es que están constituidas por muy pocos átomos: las del agua y el bióxido de carbono tienen tres y las del nitrógeno y las del oxígeno tienen sólo dos. Esto significa que, desde un punto de vista puramente químico, son moléculas muy sencillas. Y lo mismo ocurre con las moléculas que constituyen las piedras, el vidrio y, en general, toda la materia inanimada: siempre son moléculas muy simples. En cambio, hasta el ser vivo más elemental (un *paramecio** o una *bacteria**, por ejemplo) está formado por moléculas de ¡millones de átomos!

En suma, una diferencia evidente entre los seres vivos y los objetos no vivos es el número de átomos que forman sus respectivas moléculas: los átomos son los mismos, pero su número es muchísimo mayor en las moléculas de los seres vivos que en las de la materia no viva. Por eso, cuando busquemos vida en el Universo, lo que pretenderemos hallar serán, antes que nada, moléculas complejas.

Tal vez el personaje que más ha influido en el estudio científico de la vida es el biólogo soviético Alexandr I. Oparin (1894-1980), quien publicó en 1936 un libro ya convertido en "clásico": El origen de la vida. En él, sugiere cómo pudo originarse la vida en la Tierra a través de una serie continua de pasos evolutivos de la materia inanimada hacia formas cada vez más complejas, es decir más cercanas a lo que llamamos vida.

El biólogo soviético Alexandr Ivanovich Oparin precursor de las teorías modernas sobre el origen de la vida en la Tierra.

Somos polvo de estrellas

Aunque los seres vivos están constituidos, sobre todo, por elementos ligeros, también requieren para sus funciones básicas pequeñas cantidades de elementos pesados, como calcio y fierro. Como estos elementos sólo se forman en el interior de estrellas masivas, resulta que ¡cada átomo de calcio o fierro de nuestros cuerpos estuvo alguna vez en el interior de una estrella!

Desde los inicios de la historia, los pensadores se han esforzado por encontrar una relación entre nosotros y el Universo. Y como no la hay de un modo evidente, lo que hicieron nuestros antepasados fue inventar algunas. Así nació el pensamiento mágico, es decir una manera de interpretar el mundo a través de la fantasía. El pensamiento mágico está basado en la fe (creer sin preguntar) y por ello no exige —ni necesita— pruebas de que sus afirmaciones son verdaderas.

Esta actitud era del todo natural en las sociedades de hace 4 000 años, pues ignoraban prácticamente todo sobre el mundo que las rodeaba, pero es insostenible en el mundo actual. Siglos de equivocaciones nos han enseñado que la manera más eficiente de desentrañar los misterios del Universo se funda en la observación y el experimento. Eso es lo que llamamos ciencia, justamente lo opuesto al pensamiento mágico. La característica principal de la ciencia es que no acepta ninguna afirmación que no haya sido debidamente comprobada o que, al menos, no esté en contradicción con los conocimientos aceptados del momento.

La astrología es una falsa creencia, inventada hace 4 000 años. Esta representación de la bóveda celeste, encontrada en la localidad de Dendera, Egipto, es una muestra de que el zodiaco ya era conocido por los egipcios.

Un ejemplo de pensamiento mágico —inventado hace 4 000 años, aunque ha perdurado hasta la actualidad— es la *astrología**. Como todo pensamiento mágico, la astrología inventa una relación entre el hombre y el Universo. Esa relación, según ella, es una supuesta influencia de los astros sobre el carácter o el destino del hombre. Ello es, por supuesto, totalmente falso, según se ha demostrado hasta la saciedad.

Lo interesante es que la *astronomía** moderna ha encontrado que *sí* existe una conexión entre nosotros y las estrellas. Pero una conexión real, no una influencia misteriosa e inescrutable como la que inventó la *astrología*.* Lo que descubrió la astronomía es que todos los elementos químicos más pesados que el *helio** tuvieron que formarse en el interior de estrellas, que estallaron después, con una violencia indescriptible, arrojando al espacio los elementos pesados que tenían en su interior. El material lanzado por la explosión se expandió libremente por el espacio a lo largo de millones de años, hasta encontrarse con una de tantas nubes de gas que pueblan el espacio interestelar. Chocó contra ella, la comprimió y de la mezcla de gases que resultó se formaron, eventualmente, todos los cuerpos de nuestro sistema solar: el Sol, los planetas, los cometas y... ¡nosotros! Así, el calcio y el fósforo de nuestros huesos, el sodio y el potasio de nuestros nervios y el hierro de la hemoglobina de nuestra sangre ¡se formaron hace miles de millones de años en el interior de una estrella! Por eso podemos presumir de que somos ¡polvo de estrellas!

Los elementos químicos que hay en el Universo tienen dos posibles orígenes: el Big Bang (la Gran Explosión que dio origen al Universo mismo) o el interior de las estrellas. Como los cálculos han demostrado que durante el Big Bang no pudieron formarse elementos más pesados que el helio (en cantidades apreciables), todos los elementos pesados que vemos hoy día tienen que haberse formado en el interior de estrellas

Una *supernova** es una estrella que estalla y arroja al espacio buena parte del material que la forma. Constituye el fenómeno estelar más violento que se conoce, pues al estallar libera en un segundo tanta energía como el Sol liberará en mil millones de años. Durante la explosión se forman los elementos más pesados que existen. Por cierto, no hay que preocuparse de que el Sol se convierta en una supernova, pues sólo las estrellas muy grandes pueden llegar a estallar.

¿Hay vida en el Sol?

Hay quien piensa que podría haber vida en cualquier lugar del Universo. El argumento es que no se trataría de vida como la nuestra, sino de otro tipo, desconocido para nosotros pero adaptado a las condiciones del lugar en que habita. Sin embargo, la ciencia nos muestra que eso no puede ser.

Algunas estrellas son tan "frías" que alcanzan a formarse moléculas en sus atmósferas. Sin embargo, no son moléculas complejas —apenas dos o tres átomos— porque sus temperaturas superficiales, aunque bajas si las comparamos con la del Sol, siguen siendo superiores a los 2 000 grados.

Como hemos visto, la experiencia nos muestra que sólo las moléculas muy grandes tienen la capacidad de realizar los procesos que llamamos "vitales" (como asimilar sustancias de su medio ambiente o reproducirse). Por tanto, daremos por hecho que sólo podrá haber vida en lugares donde las condiciones físicas permitan la formación y subsistencia de moléculas de, al menos, miles de átomos. Nótese que no estamos afirmando que donde hay moléculas grandes necesariamente hay vida; sólo decimos que para que haya vida debe haber moléculas grandes. Como dicen los científicos, su presencia es una condición *necesaria* para que haya vida, pero no *suficiente*. A un biólogo tal vez se le ericen los cabellos con esta simplificación exagerada de la idea de vida, pero para nuestros propósitos —la búsqueda de vida en el Universo— es todo lo que necesitamos. Con esto en mente, veamos en qué lugares del Universo puede haber vida.

Lo lógico es empezar por los lugares que mejor conocemos; a saber, por nuestro propio sistema solar. El objeto más notorio, por ser el más grande y el más brillante, es, desde luego, nuestro Sol. ¿Habrá vida en él? Para el lector la respuesta puede parecer obvia. ¿Cómo va a haber vida en el Sol? Pero hay quien opina que *sí* podría haberla. Por supuesto, dicen los que sostienen tal idea, la vida en el Sol no sería como la nuestra, sino muy diferente. Sería una vida "adaptada al Sol".

Pues bien, eso no es cierto. Resulta que en el Sol *no* puede haber vida, ni como la nuestra ni de ningún tipo.

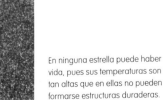

La razón es que ahí no se pueden formar moléculas complejas. El Sol es una estrella y, como tal, está formado por gases incandescentes. La temperatura en su superficie es de casi 6 000 grados y en su interior es mucho más alta, pues llega a ser de unos 15 millones de grados en su región central. A estas temperaturas las partículas se mueven con velocidades tan altas que chocan entre sí con una violencia inusitada. Como consecuencia, las moléculas, si las hubiera, se romperían en los átomos que las constituyen (por eso, cuando se quema la comida —materia "viva"— sólo queda carbón, es decir átomos de carbono).

Por el mismo motivo, si en el Sol se unieran dos átomos, en un momento dado, y tendieran a formar una molécula (casi la más simple), esa estructura no duraría unida más allá de ¡una cienmillonésima de segundo!, porque los choques la romperían. Es más, en el Sol —y en las estrellas— las colisiones son tan violentas que los mismos átomos suelen estar rotos. Por eso no puede haber vida ahí.

Ni en el Sol ni en otras estrellas puede existir (ni existe) ninguna estructura compleja duradera. Por el contrario, la materia que compone al Sol es extremadamente simple. Tanto, que conocemos mejor el interior del Sol que el de la misma Tierra. Por eso, en el Sol no puede haber vida.

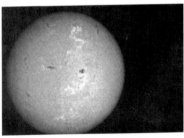

¿Puede haber vida en el Sol? La ciencia nos dice que no.

En ninguna estrella puede haber vida, pues sus temperaturas son tan altas que en ellas no pueden formarse estructuras duraderas.

¿Dónde puede haber vida en el sistema solar?

De haber vida en algún lugar del sistema solar que no sea la Tierra, es claro que habrá que buscarla donde la temperatura no sea tan alta como en el Sol, a saber en los demás planetas, en sus satélites, en los asteroides o en los cometas. ¿Podría haber vida en alguno de ellos?

En algunos meteoritos que han caído en la Tierra se han encontrado moléculas relativamente complejas. Eso hizo pensar, en el pasado, que la vida en la Tierra podría haberse originado en el espacio y llegado aquí "a bordo" de meteoritos. Esta teoría —conocida como *panspermia**— ha perdido fuerza hoy día porque las moléculas de los meteoritos son diferentes de las terrestres en una propiedad óptica demasiado complicada para exponerla aquí.

Para ver en qué lugares de nuestro sistema solar podría haber moléculas complejas tenemos que empezar por entender cómo se forman éstas. Así sabremos dónde buscarlas.

Una molécula constituida por dos átomos se forma cuando dos de ellos se encuentran y quedan unidos. Una vez formada, la nueva molécula estará sometida a choques con otros átomos. Como hemos visto, si la temperatura es muy alta, entonces los choques la romperán, y quedaremos como al principio. Pero si la temperatura es "suficientemente baja", entonces la nueva molécula sobrevivirá, porque los choques no tendrán la energía suficiente para romperla. Es más, no sólo no la romperán, sino que algunos de los átomos contra los que choca se le irán agregando, convirtiéndola primero en una molécula de tres átomos, luego en una de cuatro átomos y así sucesivamente. De esta manera, después de un cierto tiempo tendremos una molécula de muchos átomos. Así es como se forman las moléculas complejas.

Se ha especulado que también en los cometas podría haber vida, pero hasta ahora no hay pruebas convincentes de ello.

Sin embargo, el asunto no es tan fácil. Para que los átomos choquen unos contra otros es necesario que estén libres para moverse de un lado a otro. Y eso sólo es posible si están en forma de gas o disueltos en un líquido. En los sólidos, los átomos están fijos y, por eso, dos pedazos de dos sustancias sólidas diferentes puestos uno al lado del otro no se combinan en nuevas moléculas en cantidad apreciable (un trozo de vidrio y uno de fierro puestos uno al lado del otro pueden estar juntos millones de años sin que pase nada).

Otro punto que debe considerarse es la duración del proceso. Para que en un lugar haya moléculas complejas no basta que éstas "puedan" formarse; también es necesario que hayan tenido tiempo de formarse. La rapidez con que ocurren las reacciones químicas depende de dos cosas: la temperatura y la *densidad**. A mayor temperatura, mayor velocidad de los átomos y más frecuentes los choques entre sí; y, a mayor densidad, mayor número de átomos en un espacio dado y, también, mayor número de choques. Por ejemplo, en la alta atmósfera de Júpiter la temperatura es tan baja que en toda la vida del sistema solar apenas han alcanzado a formarse moléculas de cuatro o cinco átomos (amoniaco, NH_3, y metano, CH_4).

En suma, para que en un cuerpo se formen moléculas complejas su temperatura no debe ser muy alta (porque se rompen) ni muy baja (porque no alcanzan a formarse ni en todo el tiempo de vida del sistema solar). Los únicos cuerpos del sistema solar que cumplen con ello son Mercurio, Venus, la Tierra y Marte.

Los cometas sólo pueden formar moléculas cuando se acercan al Sol, ya que es entonces cuando sus gases se volatilizan con el calor solar (dando lugar a su característica cola). Aunque, en efecto, se han detectado en ellos moléculas relativamente complejas, éstas aún se hallan lejos de alcanzar el grado de complejidad de las que han dado lugar a la vida en la Tierra.

Los planetas son algunos de los lugares de nuestro sistema solar donde podría haber vida.

Mercurio y Venus

Mercurio y Venus reúnen algunas de las condiciones necesarias para la formación de moléculas complejas: los átomos de elementos pesados abundan en ellos y su temperatura no es ni muy alta ni muy baja. Sin embargo, ambos han sido estudiados de cerca por sondas espaciales automáticas y en ninguno se han encontrado evidencias de vida.

En su libro *Sobre la pluralidad de los mundos,* editado en 1686, el escritor y científico francés del siglo XVII Bernard le Bovier de Fontenelle (1657-1757) escribió que, por estar tan cerca del Sol, los habitantes de Mercurio se encuentran "tan llenos de fuego que están absolutamente locos".

Veamos qué pasa con Mercurio. Casi todo lo que sabemos de este planeta se lo debemos a la sonda Mariner 10, que lo estudió y fotografió en 1974. Sabemos, por ejemplo, que sus temperaturas típicas son de 250 °C durante el día y de 170 °C bajo cero por la noche. Aunque estas temperaturas son desfavorables para la vida terrestre (el agua hierve a 100 °C y se congela a 0 °C), en principio podrían ser adecuadas para que se formaran y sobrevivieran moléculas complejas. Pero hay un problema. Las fotografías nos muestran que es un planeta sólido: no hay líquidos y prácticamente tampoco atmósfera. Peor aún, está cubierto de cráteres (como la Luna), lo cual indica que no tiene actividad de ningún tipo, ni geológica ni, mucho menos, biológica. En resumen, en Mercurio no hay vida.

¿Qué hay de Venus? Hasta hace unas décadas se pensó que ahí podría haber vida porque está siempre cubierto por nubes y se daba por hecho que éstas eran de vapor de agua, como las de la Tierra. Esto, aunado a su mayor cercanía al Sol, hacía pensar en un planeta húmedo y cálido, tal vez cubierto por selvas tropicales. Por ello, en las películas de la década de los cincuenta se pintaba a Venus como un paraíso tropical, poblado por bellas mujeres en traje de baño, del cual (¡con razón!) nunca querían retornar los astronautas que habían tenido la fortuna de llegar a él. Sin embargo, las sondas automáticas que empezaron a estudiar el planeta en la década de los sesenta, y que descendieron en él durante los setenta (en particular las sondas soviéticas Venera 9 y 10, que fueron las primeras en posarse en su superficie, en 1975), enviaron a la Tierra información sobre las condiciones físicas que prevalecen en su superficie. Para nuestra consternación, resultó que su atmósfera está compuesta en 96.6% de bióxido de carbono (CO_2) y 3.2% de nitrógeno, con trazas mínimas de otros elementos; que su temperatura es de unos 470 °C, que la *presión atmosférica** en su superficie es 95 veces mayor que en la superficie terrestre y que las nubes bajas son de bióxido de carbono, mientras que las nubes altas son de *ácido sulfúrico**. Quedó así claro que en Venus no hay agua líquida (el agua se evapora a 100 °C) y que si hubiese algún charquito sería de algún metal fundido (pues a esas temperaturas tanto el estaño como el plomo están fundidos). En resumen, se descubrió que Venus es más semejante a un infierno que a un paraíso. Y, claro, no hay vida en él.

Ni Mercurio ni Venus son planetas aptos para la vida. Mercurio carece de atmósfera y Venus está completamente cubierto por nubes de ácido sulfúrico. Hasta antes de que llegaran a él las primeras sondas exploradoras, en la década de los setenta, se desconocían por completo los detalles de su superficie. Hoy sabemos que tiene volcanes y cierta actividad geológica, pero que es más árido y seco que el desierto terrestre más inhóspito.

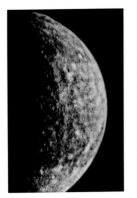

Mercurio es el planeta más cercano al Sol. Está cubierto de cráteres, como la Luna, y ello nos demuestra que en él no hay vida.

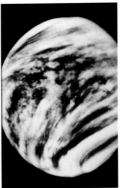

Venus siempre está completamente cubierto por nubes. Pero no son nubes de vapor de agua, como las de la Tierra, sino de bióxido de carbono y ácido sulfúrico.

Marte

Marte es el planeta más semejante a la Tierra en cuanto a clima se refiere. Durante años fue considerado el planeta con mayor probabilidad de estar habitado, y a ello se debe que "los marcianos" sean los extraterrestres más mencionados en las novelas de ciencia ficción.

Marte es, sin duda, el planeta que más se menciona cuando se habla de vida extraterrestre. Desde *La guerra de los mundos* (1898), de Herbert George Wells (1866-1946), hasta las *Crónicas marcianas* (1950), de Ray Bradbury (n. 1920), pasando por la serie de nueve novelas que el autor de *Tarzán*, Edgar Rice Burroughs (1875-1950), escribió sobre *Barsoom* (el nombre que, según él, los marcianos dan a su planeta), la novelas de ciencia ficción del siglo XX abundan en marcianos. Tan populares son que es común referirse a los extraterrestres, en general, como "marcianos". ¿Por qué ejerce Marte esta atracción tan especial sobre nuestra imaginación?

Hay al menos dos razones. La primera es que Marte tiene muchas características astronómicas y geográficas semejantes a las de la Tierra. Por ejemplo, el "día marciano" —el tiempo que tarda Marte en dar una vuelta completa en torno a su eje de rotación— es de 24 horas 39 minutos, o sea de una duración muy semejante a la del terrestre. Su eje de rotación está inclinado 25.2° respecto a la perpendicular al plano de su órbita, mientras que el de la Tierra está inclinado 23.4°, y eso implica que tiene estaciones (primavera, verano, etc.) también similares a las de la

Los volcanes más grandes del sistema solar, conocidos hasta ahora, se encuentran en Marte. El más alto es el Olimpus Mons, o Monte Olimpo, bautizado así en recuerdo del monte que constituía la mítica morada de los dioses griegos. Mide unos 25 km de altura; es decir que resulta casi tres veces más alto que el Monte Everest, el más elevado de la Tierra.

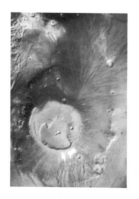

El Monte Olimpo es el volcán (conocido) más alto del sistema solar.

Tierra. Además, posee *casquetes polares** —es decir regiones de color blanco que rodean sus polos norte y sur—; y como las dimensiones de estos casquetes varían con los cambios de estación, pues crecen en invierno y disminuyen con la llegada del verano, en el siglo pasado se daba por hecho que están formados por hielo de agua, igual que los casquetes polares terrestres.

Por supuesto, también hay diferencias notables: el diámetro de Marte es apenas la mitad del terrestre y su masa una décima parte de la de nuestro planeta; su ubicación a mayor distancia del Sol (1.5 veces la terrestre) hace que sea más frío que la Tierra, con una temperatura media de unos 20° bajo cero, y su atmósfera es prácticamente inexistente, pues resulta 150 veces más tenue que la nuestra.

A fines del siglo pasado ya se conocían las semejanzas y aún se desconocían muchas de las diferencias. Se sabía, además, que en verano suelen aparecer zonas oscuras en las regiones ecuatoriales, y que esas zonas desaparecen en invierno. Esto se interpretaba como el florecimiento de vegetación —en verano— y su muerte —en invierno—; y, ¡claro!, la conclusión lógica era que había vida en Marte.

La segunda razón es uno de los mitos que más han atraído nuestra atención: los canales de Marte. Pero eso lo veremos en el siguiente capítulo.

Cuando se observa Marte a simple vista, en el cielo nocturno, lo que más llama la atención es su color rojo intenso. Muchos pueblos de la Antigüedad relacionaron este color con el de la sangre y, por extensión, asociaron al planeta con sus dioses de la guerra. Nosotros lo llamamos Marte porque heredamos los nombres de los planetas de los romanos, y precisamente Marte era su dios de la guerra.

Marte es el planeta que más se menciona cuando se habla de extraterrestres. Sus casquetes polares, semejantes a los de la Tierra, son de hielo de agua mezclado con *hielo seco**.

Los canales de Marte

Los canales de Marte son uno de los mitos más famosos de la astronomía. "Descubiertos" a fines del siglo pasado, y ratificados más de una vez por especialistas, mantuvieron vivas durante décadas las esperanzas de muchos soñadores de encontrar habitantes en ese mundo vecino. ¡Lástima que no pasaron de ser una bella fantasía!

Otro "misterio" marciano, muy popular en épocas recientes, es la existencia de una pequeña loma que semeja un rostro humano, en una planicie conocida como Cydonia. En abril de 1998 la sonda Mars Global Surveyor tomó fotografías de gran resolución de la famosa "cara" y, como se esperaba, resultó una formación natural.

En 1877, Marte se acercó a sólo 56 millones de kilómetros de la Tierra, que es casi la distancia mínima a la que llega a estar de nosotros. Como es lógico, los astrónomos se prepararon con gran cuidado para estudiar al planeta con más detalle que nunca. En aquella época, aun los mejores telescopios mostraban al planeta como un disco borroso, muy pequeño, de color rojizo, en el cual apenas alcanzaban a distinguirse algunos detalles si se forzaba mucho la vista. Sin embargo, el astrónomo italiano Giovanni Schiapparelli (1835-1910), del Observatorio de Brera, Milán, anunció el descubrimiento de una red de finas líneas rectas que envolvía la superficie del planeta. Schiapparelli las llamó *canali*, que en italiano significa "surcos" o "ranuras", pero la prensa tradujo el término como "canales", palabra que da la sensación de un origen artificial.

Otros astrónomos confirmaron el descubrimiento y, a pesar de que la mayor parte de los especialistas insistían en que no veían los famosos canales, éstos no tardaron en apoderarse de la imaginación popular. La razón era muy simple: ¿quién, sino una civilización inteligente, puede hacer cons-

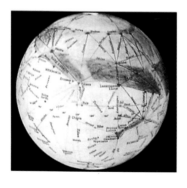

La red de canales marcianos, según un dibujo de Percival Lowell.

trucciones en línea perfectamente recta? Así nació un mito que habría de perdurar por casi un siglo.

La leyenda adquirió mayor fuerza en manos de un diplomático estadounidense llamado Percival Lowell (1855-1916), quien, al enterarse de los supuestos canales marcianos, elaboró una teoría, por completo fantasiosa, para explicar su origen. Según él, Marte era un planeta viejo, donde el agua estaba agotándose, y los canales habían sido construidos por los marcianos para transportar la que se formaba con los deshielos de los casquetes polares al resto del planeta. Como Lowell era multimillonario, se dio el lujo de construir un observatorio astronómico (en Flagstaff, Arizona) exclusivamente para estudiar a Marte y probar su tesis. El observatorio sigue funcionando y fue en él donde el astrónomo estadounidense Clyde Tombaugh (1906-1997) descubrió Plutón en 1930.

La imagen de un Marte desértico, poblado por una civilización sedienta, dominó la literatura de ciencia ficción durante casi un siglo. El mito murió en 1971, año en que la sonda Mariner 9 llegó a Marte y se convirtió en un satélite artificial del planeta. La sonda envió a la Tierra miles de imágenes de la superficie de Marte, y en ninguna hubo la más leve señal ni de canales artificiales ni de nada que hiciera sospechar la presencia de seres inteligentes

Percival Lowell fue el principal promotor de la idea de que Marte estaba habitado y que los canales observados por algunos astrónomos eran prueba de ello. Estudió ese planeta hasta su muerte y, aunque estaba equivocado, sus observaciones le permitieron elaborar excelentes mapas de la superficie marciana (si olvidamos los canales). Muchos de los nombres que asignó a los accidentes geográficos del planeta fueron adoptados posteriormente y siguen utilizándose en la actualidad.

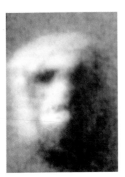

La "cara" de Marte no es más que un juego de luz y sombra generado por la inclinación particular con que inciden los rayos del Sol sobre la loma en el momento de tomar las fotografías con que fue "descubierta" y por la escasa resolución de la imagen.

Pero... ¿hay vida en Marte?

La ausencia de una gran civilización en Marte no significa, necesariamente, que en ese planeta no haya habido vida en el pasado ni que no la haya en la actualidad. La Tierra, por ejemplo, estuvo poblada sólo por seres microscópicos durante más de mil millones de años y ésa podría ser la situación actual en Marte. Con el fin de analizar tal posibilidad, en 1975 se enviaron dos laboratorios biológicos al planeta.

Para darnos una idea de la inclemencia del clima marciano (comparado con el nuestro), las mediciones llevadas a cabo por la sonda Pathfinder registraron una temperatura mínima de casi 80° bajo cero y una *máxima* de 13° bajo cero (y eso que se medía a las 3 de la tarde, hora de Marte).

Aunque la mayor parte de los científicos ya lo esperaba, la ausencia absoluta de evidencias de una civilización avanzada en Marte provocó una gran desilusión. ¿Por qué se habían equivocado tantos astrónomos? ¿Habían mentido los que aseguraban ver canales o se trataba de un error involuntario? La explicación más aceptada es que los canales eran una especie de ilusión óptica causada por la pequeñez y baja calidad de la imagen de Marte en los telescopios de la época. De hecho, se ha demostrado que cuando el ojo humano se fuerza a buscar detalles en una imagen próxima a su límite mínimo de resolución, la mente tiende a crear "puentes" inexistentes entre las regiones más oscuras de la imagen. Y eso es lo que pasó con Marte.

Desde luego, el hecho de que en Marte no hubiera una civilización como la nuestra no significaba, por fuerza, que no hubiera vida en él. Incluso podría haberla, sólo que no sería tan avanzada como la nuestra. Podría haber, por ejemplo, vida microscópica muy primitiva —como hongos, líquenes o bacterias— y ésta habría pasado inadvertida a las sondas exploradoras.

Para analizar esta posibilidad, en 1975 se enviaron a Marte dos laborato-

Uno de los dos laboratorios biológicos automáticos Vikingo. Ambos eran idénticos.

rios biológicos automáticos llamados Vikingo 1 y Vikingo 2. Llegaron a su destino en 1976 (el viaje duró poco más de medio año) y realizaron cuatro experimentos diseñados cuidadosamente para detectar la presencia de vida microscópica o fósiles en el planeta. El objetivo era tomar varias muestras de suelo marciano, agregarles diferentes "caldos nutrientes" y ver si en alguna de ellas aparecían los intercambios de sustancias que caracterizan el "comer" y "descome" de los seres vivos. Los resultados en un principio fueron ambiguos, pues tres experimentos dieron resultados negativos mientras que el otro detectó una actividad que podía interpretarse como evidencia de reacciones metabólicas. Pero no tardó en demostrarse que lo más probable, en este último caso, es que se tratara de una reacción inorgánica, como cuando se pone en contacto un *alka-seltzer* con agua.

Sin embargo, aún no es del todo seguro que Marte esté completamente muerto. Hay evidencias muy claras de que en el pasado corrió por su superficie una gran cantidad de agua, y eso podría haber propiciado la formación de vida. La duda puede disiparse en poco tiempo, pues ya se ha iniciado un proyecto muy ambicioso de exploración de Marte. Para empezar, en 1996 se enviaron a ese planeta dos sondas —la Pathfinder y la Mars Global Surveyor— y se planean misiones para 1998 (2), 1999 (2), 2001 (2), 2003 (2) y 2005 (una, en que se traerían unos dos kilos y medio de muestras recogidas por las otras misiones y por esta misma). El proyecto culminaría con el envío de seres humanos entre el 2010 y el 2018.

Hasta ahora, Marte ha sido explorado in situ *por tres sondas automáticas: las Vikingo 1 y 2 y la Pathfinder. Las Vikingo tuvieron como objetivo primordial la búsqueda de vida; desafortunadamente, los resultados fueron negativos. La Pathfinder no tuvo como propósito la búsqueda de vida, pero sus observaciones serán utilizadas en misiones futuras que sí tendrán esa finalidad.*

La sonda Pathfinder llegó a Marte el 4 de julio de 1997 llevando a bordo este vehículo autónomo llamado el Sojourner (Vagabundo). La Pathfinder se mantuvo en funcionamiento casi tres veces más de lo esperado (83 días en vez de 30) y envió a la Tierra 16 000 imágenes del planeta, mientras que el Sojourner —que "vivió" doce veces más que los siete días esperados— envió otras 550 y efectuó más de quince estudios químicos de las rocas.

El meteorito
ALH 84001

En 1996 se anunció el sorprendente hallazgo en la Antártida de un meteorito procedente de Marte en el que había compuestos que era posible considerar como generados por seres vivos. De ser ello cierto, habría habido vida en Marte hace unos tres mil millones de años.

Los PAHS (hidrocarburos policíclicos aromáticos) son compuestos de hidrógeno y carbono bien conocidos por los químicos. Algunos se generan en la Tierra en ciertos procesos biológicos, pero también pueden producirse en procesos no biológicos, pues los encontramos, por ejemplo, en las nubes moleculares que pueblan el espacio entre las estrellas.

Fragmento del meteorito ALH 84001.

La exploración de Marte recibió un impulso tan espectacular como inesperado en 1996. En agosto de ese año, la NASA citó a una conferencia de prensa en la que dio a conocer el hallazgo de posibles evidencias de vida primitiva en un meteorito, aparentemente procedente de Marte, hallado en la Antártida en 1984. El artículo científico "oficial", con los datos y toda la información relevante debidamente detallados, apareció en la revista *Science* del mismo mes y está firmado por el director del grupo que realizó la investigación, Dave McKay, y por nueve colaboradores más.

Por supuesto, la noticia causó verdadera sensación, aunque no todos quedaron convencidos. De hecho, si hay algo que caracterice a la ciencia, ello es su cautela y escepticismo ante este tipo de informaciones. Antes de juzgar, veamos las evidencias.

¿Cómo sabemos que el meteorito proviene de Marte? Según McKay y sus colaboradores, porque contiene los mismos gases —y casi en las mismas proporciones— que el Vikingo detectó en Marte. Esta afirmación fue formulada con una gran seguridad, pero estudios posteriores han demostrado que se trataba de una exageración. Hay, en efecto, semejanzas en las proporciones de algunos gases, pero hay diferencias francamente grandes en otros. En suma, no está claro que el meteorito provenga de Marte. Sin embargo, es importante notar que la procedencia del meteorito es irrelevante para el problema del origen de la vida. Lo en verdad significativo es que si, en efecto, contiene fósiles de vida primitiva (y es de origen extraterrestre), entonces tenemos una prueba irrefutable de que se puede originar vida fuera de la Tierra.

¿Cuáles son las evidencias de vida que ese meteorito contiene y qué tan definitivas son? Primera: contiene unas formaciones esféricas (glóbulos) de ciertas sustancias llamadas carbonatos y, dentro de esos glóbulos, hay otras dos (magnetita y sulfuro de fierro) que son producidas por algunas bacterias terrestres. Segunda: también contiene, cerca de los glóbulos o dentro de ellos, otras sustancias, abreviadas como PAHS, que pueden ser de origen biológico. Tercera: el microscopio electrónico revela unas curiosas formaciones alargadas que parecen gusanitos. Estas estructuras son muy pequeñas; de hecho, sólo son visibles con el microscopio electrónico, pues son 100 veces más pequeñas que las bacterias terrestres (miden alrededor de una cienmilésima de centímetro). Según McKay y colaboradores, es mucha coincidencia que todo eso se encuentre concentrado en un mismo meteorito. La manera más fácil de explicarlo, dicen, consiste en suponer que hubo seres vivos en el meteorito en algún momento del pasado, cuando aún era parte de una roca marciana. Sin embargo, numerosos investigadores están en desacuerdo con esta interpretación, porque hay explicaciones alternativas más sencillas. Por ahora, lo único que podemos hacer para conocer la verdad es esperar los resultados de misiones futuras en Marte.

Según muchos científicos, la explicación más plausible de la presencia de compuestos orgánicos en el meteorito ALH 84001 es que éste se "contaminó" con dichos compuestos durante su paso por la atmósfera o a lo largo de los 13 000 años que transcurrieron desde su caída en la Antártida hasta su hallazgo.

Según Dave McKay y sus colaboradores, estas estructuras con forma de gusanitos podrían ser fósiles de vida primitiva en Marte.

Los demás planetas

Los planetas exteriores —Júpiter, Saturno, Urano, Neptuno y Plutón— están tan lejos del Sol que sus superficies se encuentran siempre a temperaturas inferiores a los 150° bajo cero. En estas condiciones, las reacciones químicas que conducirían a la formación de moléculas complejas son tan lentas que resulta muy poco probable la vida en alguno de ellos.

Plutón es un caso especial en el sistema solar. Tiene la órbita más elíptica de todos los planetas y también la más inclinada respecto al ecuador del Sol. Su único satélite conocido —Caronte— es muy grande comparado con él, pues su diámetro es la mitad del de Plutón (antes de que se descubriera Caronte, la Luna era el satélite más grande respecto a su planeta la Tierra).

Si en Mercurio, Venus y Marte no hay vida, el resto del sistema solar no parece ofrecer mayores posibilidades de encontrarla. Ya vimos que entre menor es la temperatura, más lentas son las reacciones químicas, y Júpiter, Saturno, Urano, Neptuno y Plutón son tan fríos —por la gran distancia que los separa del Sol— que aún no han tenido tiempo suficiente para formar moléculas complejas.

Sin embargo, es interesante notar que esto es válido sólo para las capas más externas de su atmósfera, que son las que logramos ver "desde afuera". A mayor profundidad, la temperatura es mayor, y podrían formarse moléculas complejas; es decir que podría haber vida. Aunque esta posibilidad se ha mencionado —en particular lo ha hecho el famoso astrónomo estadounidense Carl Sagan (1934-1996)—, hasta el momento no hay evidencia de que dichas moléculas existan. Por el contrario, se piensa que, si las hubiera, deberían verse, pues los movimientos turbulentos de la atmósfera las transportarían de vez en cuando a la superficie. Y, de cualquier modo, si las hubiese, y hubiese vida, ésta no sería inteligente, pues los "seres" —que tal vez serían como globos flotantes— estarían sujetos a los vientos y corrientes atmosféricas y no podrían sostenerse en ningún lado.

Júpiter, Saturno, Urano y Neptuno son planetas esencialmente gaseosos, aunque todos podrían tener un pequeño núcleo sólido, tal vez de dimensiones semejantes a la Tierra. De ser así, estos núcleos podrían estar cubiertos por océanos de metano o etano líquido, y podría pensarse en "vidas" basadas en estos elementos de la misma manera que en la Tierra la vida se basó en el agua. Pero por el momento éstas no pasan de ser elucubraciones sin ninguna evidencia que las sustente.

Mejores perspectivas nos brindan algunos de los satélites de estos planetas. Titán, por ejemplo (el mayor satélite de Saturno), tiene una espesa atmósfera de nitrógeno, tan densa que la presión atmosférica en su superficie es 90 veces mayor que la presión atmosférica terrestre al nivel del mar. Ello permitiría la existencia de mares de metano líquido y, al igual que lo explicamos respecto a los planetas, ahí podría surgir una vida basada en el metano. Esta posibilidad es tan atractiva que la sonda Cassini, hoy todavía en camino a Saturno, dejará caer una sonda en Titán en el año 2004. La sonda —llamada Huygens, en honor al astrónomo holandés del siglo XVII que interpretó correctamente la existencia de anillos en Saturno— enviará información sobre las condiciones físicas del satélite y así sabremos si es o no posible que albergue vida.

También se ha especulado sobre la posible existencia de vida en un satélite de Júpiter llamado Europa. En marzo de 1997, la sonda Galileo detectó en su superficie lo que podrían ser pantanos, y más tarde observó estructuras que podrían ser icebergs flotando. Lo interesante de esto es que podría indicar la presencia de agua líquida bajo la superficie. Pero, una vez más, hasta ahora sólo hay "podrían", sin ninguna evidencia sólida.

Casi todo lo que sabemos del sistema solar exterior proviene de las imágenes y mediciones efectuadas por las sondas Pionero y Viajero en las décadas de los setenta y ochenta. Entre sus descubrimientos más notables se cuentan nuevos satélites (nuevos para nosotros) y la existencia de uno o más anillos en torno a Júpiter, Saturno, Urano y Neptuno.

Júpiter, el gigante del sistema solar. En su Gran Mancha Roja podrían caber más de dos planetas como la Tierra.

Sus característicos anillos hacen de Saturno el planeta más vistoso del sistema solar.

La Tierra: un planeta común y corriente

La ausencia de vida en los cuerpos del sistema solar que han sido explorados por sondas espaciales es desilusionante, pero no implica que tampoco la haya en otros lugares del Universo. La historia nos ha enseñado que la Tierra no es nada especial, y ello nos induce a pensar que la vida tampoco lo es.

En 1543, el astrónomo polaco Nicolás Copérnico publicó su obra Sobre las *revoluciones de los cuerpos celestes*, en la que desplazaba a la Tierra del centro del sistema solar y la colocaba en el lugar que le corresponde, como un planeta más.

Ya no hay duda de que la Tierra es el único planeta del sistema solar en que hay vida. Ello significa que, de haber vida extraterrestre, ésta se encontrará en planetas de otras estrellas. Un argumento en favor de esta posibilidad más sustentado en la lógica que en observaciones, es el conocimiento que hoy tenemos del lugar que ocupamos en el cosmos. Si algo nos ha enseñado la historia de la ciencia —y, en particular, la historia de la astronomía—, es que no somos nada especial en el Universo.

Desde hace más de 2 000 años hasta mediados del siglo XVI, se creyó que la Tierra era el centro del cosmos, pero la astronomía demostró que tal idea era falsa y que se trata sólo de un planeta más que gira en torno al Sol, al igual que Marte, Júpiter y los demás cuerpos del sistema solar. Más tarde se pensó que el Sol era el centro del Universo, y una vez más la astronomía se encargó de demostrar que también esta idea era falsa, pues el Sol está muy lejos del centro del sistema de estrellas al que pertenece.

Entonces, si no somos nada especial, y si la vida no es el resultado de una voluntad divina, sino de una evolución natu-

El astrónomo polaco Nicolás Copérnico (1473-1543) demostró que la Tierra no es el centro del Universo, sino un planeta común y corriente. Eso nos lleva a pensar que la vida tampoco debe ser algo especial y que, por tanto, debe existir en planetas situados en torno a otras estrellas.

ral de la materia hacia formas más complejas, ¿por qué no ha de haber vida en al menos algunos de los planetas de otras estrellas? ¿No resulta francamente absurdo pensar que somos únicos? Por eso, la mayor parte de los científicos acepta que debe haber vida en otros lugares del Universo. En suma, la pregunta no es si hay vida extraterrestre, sino dónde está, cómo ponerse en contacto con ella y qué podemos aprender de ella.

Aquí nos encontramos con un nuevo problema. La evolución de la vida en la Tierra ha estado controlada y dirigida por una ley natural que puede resumirse como "la supervivencia del más apto". En la Tierra —hasta ahora—, "el más apto" ha sido, también, "el más inteligente". Por eso, la vida en la Tierra ha evolucionado hacia la vida inteligente. Pero no se ha encontrado ninguna razón para pensar que la inteligencia es un factor necesario para la supervivencia. Por tanto, no es posible asegurar que la vida evoluciona siempre hacia vida inteligente. Aunque no hay duda de que sería muy interesante —e instructivo— encontrar bacterias o cucarachas extraterrestres, lo que de veras nos gustaría es hallar seres con los cuales pudiéramos intercambiar conocimientos, información, obras de arte, visiones del Universo, etc. Por desgracia, podría resultar que el cosmos se encontrara lleno de vida, pero que esa vida no tuviera nada que decirnos.

Entre 1910 y 1930, se llevaron a cabo dos descubrimientos notables: el astrónomo estadounidense Harlow Shapley (1885-1972) demostró que el Sol no ocupa el centro del Universo, sino que se encuentra más bien cerca del borde del sistema de estrellas al que pertenece, y su colega Edwin Hubble (1889-1953), también estadounidense, demostró que dicho sistema de estrellas es sólo uno entre muchos otros que pueblan el cosmos.

En 1915, el astrónomo estadounidense Harlow Shapley demostró que el Sol no ocupa el centro del sistema de estrellas al que pertenece, sino que es una estrella como muchas otras.

¿Dónde está la vida extraterrestre?

Los científicos están convencidos de que es muy probable que haya vida extraterrestre. El problema es dónde buscarla. Por fortuna, lo que más abunda en el Universo son estrellas y los astrónomos piensan que muchas de ellas deben tener a su alrededor planetas habitables.

Las estrellas muy grandes se encuentran cerca del final de su vida: su gran tamaño se debe a que se han expandido en un último esfuerzo por sobrevivir. Si tuvieron planetas con vida, ésta desapareció al crecer ellas, porque la temperatura aumentó tanto que los calcinó. Ése es también nuestro futuro, pues el Sol se convertirá en una estrella gigante; pero aún no hay de qué preocuparse, pues eso sucederá dentro de unos cinco mil millones de años.

Hemos visto cómo la ciencia y la razón nos inducen a pensar que debe haber vida en muchos lugares del Universo. Pero, ¿dónde está?, ¿dónde la buscamos? La respuesta es evidente: en planetas que giren en torno a otras estrellas. Y, por fortuna, si hay algo que abunda en el cosmos son estrellas. Aunque a simple vista alcanzamos a distinguir (en un momento dado) sólo unas 3 000, los telescopios más potentes nos revelan millones de millones de millones. Las hay de todos tipos: grandes y pequeñas, calientes y frías, sencillas y múltiples, jóvenes y viejas. No todas son aptas para que se desarrolle la vida en los planetas que giran en torno suyo (cuando los hay): las muy jóvenes porque aún no han vivido el tiempo suficiente para ello y las muy calientes porque vivirán demasiado poco. Pero hay tantas que también deben abundar las que tengan planetas habitables. Por lo tanto, si damos por hecho que la vida no es el resultado de un acto creador de una voluntad divina, sino una consecuencia de la evolución natural y espontánea de la materia hacia formas más complejas, entonces no nos queda más remedio que aceptar que la vida debe abundar en el Universo.

Pero la ciencia no se guía sólo por la lógica; pues para aceptar una idea debe contar con pruebas objetivas. Y las hay. Por ejemplo, en 1953 los químicos estadouni-

Las estrellas gigantes llegan a ser más de cien veces más grandes que nuestro Sol.

SOL

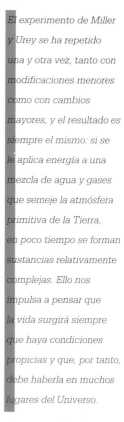

denses Stanley Miller y Harold Urey realizaron un experimento en que calentaron una mezcla de agua con algunos de los gases más abundantes en la atmósfera primitiva de la Tierra (bióxido de carbono, metano y amoniaco) y la sometieron a descargas eléctricas durante aproximadamente una semana. El resultado fue sorprendente: se generaron varias de las moléculas más básicas para la vida (*aminoácidos**, *nucleótidos**, *azúcares** y *ácidos grasos** elementales).

Este tipo de experimentos se han repetido empleando otras posibles fuentes de energía naturales, como *luz ultravioleta** o partículas cargadas muy energéticas (que simulan *rayos cósmicos**). Los resultados han sido siempre los mismos: en un tiempo relativamente corto se generan en esencia las mismas moléculas complejas. Y si eso ocurre en sólo una semana, ¿qué grado de complejidad no se alcanzará en cientos de millones de años? Parecería, más bien, que lo difícil es evitar que se formen moléculas complejas en un planeta con líquidos, gases y fenómenos naturales —como los rayos— que suministren energía en el medio ambiente.

¿Cuántos planetas con esas características hay en el Universo? No lo sabemos con certeza, pero los astrónomos piensan que la formación de planetas es un proceso natural en la de las estrellas. En consecuencia, todas ellas deben tener planetas y es natural suponer que habrá alguno —o algunos— con las condiciones adecuadas para la vida. La conclusión inevitable es que en torno a muchas estrellas debe haber planetas con vida.

El experimento de Miller y Urey se ha repetido una y otra vez, tanto con modificaciones menores como con cambios mayores, y el resultado es siempre el mismo: si se le aplica energía a una mezcla de agua y gases que semeje la atmósfera primitiva de la Tierra, en poco tiempo se forman sustancias relativamente complejas. Ello nos impulsa a pensar que la vida surgirá siempre que haya condiciones propicias y que, por tanto, debe haberla en muchos lugares del Universo.

La ecosfera es la región en torno a una estrella donde puede darse la vida. Es muy extensa en estrellas calientes y muy pequeña en estrellas frías.

Otros sistemas planetarios

Como la vida sólo puede desarrollarse en los planetas, resulta de capital importancia verificar la existencia de sistemas planetarios en torno a otras estrellas. Si los hay, podría haber vida extraterrestre. Sin embargo, se trata de un problema que apenas empieza a resolverse.

Un hecho curioso —porque nadie se lo imaginaba— es que se han descubierto planetas en torno a un tipo muy especial de estrellas conocidas como *pulsares**. Son estrellas muy pequeñas y muy comprimidas (con una masa como la del Sol contenida en un radio de unos diez kilómetros). No se esperaba que tuviesen planetas porque son el residuo de una estrella que estalló.

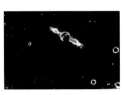

En 1985 se detectó lo que podría ser un sistema planetario en formación en la estrella Beta Pictoris. En esta imagen, la estrella está bloqueada para resaltar la presencia del disco de material del que estarían formándose planetas.

La conclusión de que es muy probable la vida extraterrestre está basada en la suposición de que las estrellas suelen poseer sistemas planetarios. ¿Tenemos alguna evidencia de que esto es así? La respuesta es sí. Pero encontrarla no ha sido fácil.

El principal problema es que, con la tecnología actual, aún no podemos ver a un planeta que gire en torno a otra estrella. La razón es que los planetas no tienen luz propia —no emiten luz—, sino que brillan porque reflejan la proveniente de su estrella, y son tan pequeños —comparados con las estrellas— que reflejan muy poca luz, tan poca que su brillo es muy débil y se pierde en el de la estrella en torno a la cual giran. Por eso, aunque estén ahí, no podemos verlos.

Entonces, dirá el lector, ¿por qué decimos que sí hay evidencias de planetas en otras estrellas? ¿Cuáles son esas evidencias? Las hay de dos tipos. Una es la presencia de discos de "piedritas" que giran en torno a estrellas jóvenes. De acuerdo con las teorías más recientes relativas a la formación de planetas, estas "piedritas" (cuyos diámetros van desde milímetros hasta kilómetros) son el material primario del que van a formarse —o están formándose— los planetas. Poco a poco se van agregando unas a otras en cuerpos más y más grandes hasta convertirse, finalmente, en planetas hechos y derechos. El primer caso observado al respecto fue una estrella llamada Beta Pictoris, cuyo disco fue descubierto en 1985. Además, en enero de 1998 se anunció que dicho disco tiene una deformación debida quizás a la presencia de un cuerpo ma-

yor que podría ser ya un planeta casi totalmente formado.

La otra evidencia es aún más contundente. Se basa en una ley universal llamada *ley de la gravitación**. Según ella, toda la materia ejerce una fuerza de atracción sobre la materia restante, es decir la "jala" hacia ella. El ejemplo más conocido de esta fuerza es la caída de los cuerpos hacia el suelo aquí, en la Tierra: los cuerpos caen porque la Tierra los atrae. De la misma manera, los planetas giran en torno a las estrellas porque éstas los atraen y evitan que se alejen indefinidamente.

Y aquí viene lo interesante. Por la ley de la gravitación, los planetas también atraen a las estrellas, sólo que éstas, por ser mucho más grandes, apenas acusan el efecto de ello. Sin embargo, en años recientes se han construido instrumentos tan sensibles que son capaces de detectar los efectos de los planetas sobre sus estrellas. Y así es como se ha advertido su presencia. Hasta hoy (1998) se han descubierto por este método nueve estrellas que tienen, con seguridad, al menos un planeta. Y lo mejor está por venir, porque gracias al perfeccionamiento de los instrumentos, cada día se descubren más.

Todos los planetas detectados hasta ahora son muy grandes comparados con la Tierra e incluso con Júpiter, que es el planeta más grande del sistema solar. Esto no significa que no haya planetas más pequeños; se debe, simplemente, a que nuestros instrumentos sólo alcanzan a medir el efecto de planetas muy grandes sobre sus estrellas. Para detectar planetas como la Tierra se requieren mediciones diez veces más precisas que las permitidas por la tecnología actual.

SISTEMA SOLAR INTERIOR

mercurio	venus	tierra	marte

47 UMA

51 Peg

55 Cancri

Tau Bootis

Upsilon Andromedae

70 Vir

HD 114762

16 Cyg B

Rho Cr B

Comparación de las distancias al Sol y los tamaños de los planetas internos de nuestro sistema solar con los nueve planetas de otras estrellas descubiertos hasta ahora.

Un mensaje a las estrellas

La sonda Pionero 10 fue el primer objeto hecho por el hombre que abandonó el sistema solar. En previsión de que pudiese ser encontrada por seres inteligentes, lleva a bordo un mensaje para indicar de dónde salió y cuándo lo hizo.

Al mensaje enviado a bordo de la Pionero 10 le siguió, casi un año más tarde, otro idéntico que viajaba en la sonda Pionero 11. Lanzada el 5 de abril de 1973, esta última llevó a cabo una misión más difícil que su gemela anterior, pues estudió Júpiter y Saturno.

La placa de la sonda Pionero 10. La parte principal del mensaje es el dibujo parecido a una estrella que ocupa la parte izquierda de la placa. Correctamente descifrado, indica de dónde y en qué momento partió la sonda.

Los astrónomos están tan convencidos de que es muy probable que haya vida inteligente (aparte de la nuestra), que ya han realizado intentos de establecer contacto con otros seres. La primera oportunidad de enviar un mensaje "escrito" se presentó en 1972, con el lanzamiento de la sonda espacial Pionero 10 (Pioneer 10). Por supuesto, no se había proyectado para que llevara un mensaje a los extraterrestres: su misión era estudiar "de cerca", por primera vez, el planeta Júpiter. Pero cuatro meses antes del lanzamiento, cuando ya todo estaba casi listo, el famoso astrónomo estadounidense Carl Sagan se percató de que la sonda iba a abandonar el sistema solar una vez terminada su misión. ¡La oportunidad era única! ¡Por primera vez en la historia, un artefacto construido por el hombre iba a viajar a las estrellas! Sagan logró convencer a los responsables del proyecto de la conveniencia de poner un mensaje a bordo, por si la sonda llegaba alguna vez a un lugar habitado o por si algún ser inteligente simplemente se topaba con ella en su vagabundear por el espacio interestelar. Se pensó, entonces, en qué tipo de mensaje se podría enviar.

El problema no era trivial: ¿qué decir y cómo decirlo? En cuanto al lenguaje, no hubo mucha duda. El único "idioma" que creemos común a todos los seres inteligentes es el lenguaje de la matemática. Por ejemplo, dos más dos son cuatro, aquí, para nosotros, y lo siguen siendo para cualquier ser en cualquier lugar del Universo. Claro que un extraterrestre expresará el mismo hecho de otra manera, pero lo fundamental, la ley matemática, será la misma para él y para nosotros.

Y ¿de qué podemos "platicar" con él? Pues de lo único que, con toda seguridad, tenemos en común: ¡el Universo mismo! Porque vive exactamente en el mismo Universo que nosotros y, en consecuencia, ve (si tiene ojos) y conoce las mismas estrellas y los mismos objetos astronómicos que nosotros.

Con esto en mente, Sagan y su colega Frank Drake diseñaron un mensaje que, según ellos, cualquier ser avanzado que utilice la radioastronomía podría descifrar. El mensaje debía grabarse en una placa de aluminio y oro anodizado de 15 x 23 cm y la elaboración de la placa se encomendó a la artista Linda Salzmann, esposa de Sagan. El tiempo urgía —había que entregar el mensaje terminado en sólo tres semanas—, pero cuando la Pionero 10 se lanzó hacia Júpiter, el 2 de mayo de 1972, la placa iba a bordo. Y allí sigue, esperando que "alguien" la encuentre, la descifre y nos responda. Por desgracia, según veremos más adelante, la probabilidad de que el mensaje sea recibido es extremadamente baja.

Los primeros ingenios construidos por el hombre que viajaron a las estrellas fueron las sondas Pionero 10 y 11. Como podrían ser halladas por extraterrestres, se les colocó un mensaje que muestra cómo somos y dónde estamos. El mensaje que refiere nuestra posición está basado en las propiedades físicas del átomo de hidrógeno y en las de ciertos objetos astronómicos llamados pulsares. El que indica cómo somos es un dibujo de una pareja formada por una mujer y un hombre en los que se ha intentado incluir, simultáneamente, rasgos de todas las razas.

La sonda Pionero 10 fue el primer artefacto construido por el hombre que salió del sistema solar y viajó a las estrellas.

Los sonidos de la Tierra

Las sondas Viajero 1 y 2 también marchan rumbo a las estrellas, con un mensaje a bordo que incluye, además de información científica, muestras de diferentes lenguas y de nuestra música, aparte de más de 100 imágenes de nuestro mundo.

Desde que cruzó la órbita de Plutón, en 1985, la sonda Pionero 10 ha seguido alejándose de la Tierra con una velocidad de 40 000 kilómetros por hora. Durante trece años fue el objeto construido por el hombre más remoto. Pero el 17 de febrero de 1998 perdió tal privilegio, pues en ese día (a las 4:10 p.m., hora de México) la distancia que lo separa de nosotros fue superada por la Viajero 1 —que avanza a 60 000 kilómetros por hora—, que ahora, a 10 400 millones de kilómetros del Sol, es el objeto artificial más lejano a nuestro planeta.

En 1975, la NASA envió otras dos sondas a estudiar el sistema solar exterior: la Viajero 1 (Voyager 1), que sobrevoló Júpiter y Saturno, y la Viajero 2, que repitió lo anterior e hizo lo propio con Urano y Neptuno. Igual que ocurrió con las sondas Pionero, los cálculos indicaron que las dos Viajero abandonarían el sistema solar una vez concluida su misión, así que se diseñó un nuevo mensaje tomando en cuenta las críticas y comentarios despertados por la placa de los Pioneros. El nuevo mensaje consta de dos partes: una "escrita", muy semejante a la anterior (es decir, que contiene sólo información científica), y otra, la gran novedad, ¡un disco que genera sonidos e imágenes!

El disco mide 12 pulgadas y está hecho de cobre cubierto con una capa de oro. Al lado lleva una aguja y el cartucho correspondiente, así como las instrucciones necesarias para reproducir el contenido. Aunque genera tanto imágenes como sonidos, se titula *The Sounds of Earth* (Los sonidos de la Tierra).

Se inicia con un mensaje escrito del entonces presidente de Estados Unidos, Jimmy Carter, seguido por un mensaje hablado de Kurt Waldheim, a la sazón secretario general de las Naciones Unidas, y por saludos y mensajes formulados en otros 54 idiomas. Los mensajes de Carter y Waldheim son, en esencia, saludos y mensajes de paz y colaboración mutua, aunque el de Carter se inicia diciendo que la sonda fue construida por los Estados Unidos de América, mientras que los restantes 54 son solamente saludos en len-

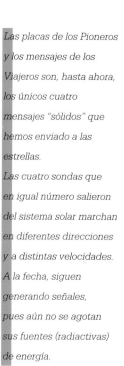

guas que van desde el sumerio —la vieja lengua de los acadios— hasta el moderno dialecto chino llamado *wu*.

Después vienen muestras de sonidos característicos de nuestro planeta: cantos de ballenas, el susurro de la brisa, el murmullo de un arroyo ¡y hasta el sonido de un beso! Continúa con los "grandes éxitos" de la Tierra, es decir, la mejor y más famosa música del planeta, de acuerdo con el gusto de Carl Sagan y su equipo. Son casi 90 minutos de trozos musicales (27 en total), entre los cuales se incluye música de Bach y Beethoven y piezas folclóricas de diversos países (México entre ellos, del cual se incluye una vieja canción llamada *El cascabel*).

Además de los sonidos, el disco contiene 118 imágenes analógicas. Las primeras conforman un breve "curso" que explica el significado de nuestros números (qué significan "2", "3", etc.) y el valor de las unidades de medición terrestres, con el fin de que los extraterrestres sepan qué cosa es "un segundo", qué es "un metro", etc. El disco finaliza con imágenes, comprendidas las correspondientes a los planetas del sistema solar, vistas de paisajes terrestres, esquemas que describen nuestra anatomía, el proceso de gestación humana y, en fin, todo aquello que creemos que pueda interesar a los extraterrestres acerca de nosotros (o, visto de otra manera, lo que a nosotros nos interesaría saber acerca de ellos). Por cierto, las selecciones musicales pueden adquirirse comercialmente en Estados Unidos en un disco compacto titulado (¡por supuesto!) *The Sounds of Earth* y la explicación detallada de todo lo grabado en el original se puede leer en el libro *Murmullos de la Tierra*, de Carl Sagan.

Las placas de los Pioneros y los mensajes de los Viajeros son, hasta ahora, los únicos cuatro mensajes "sólidos" que hemos enviado a las estrellas.

Las cuatro sondas que en igual número salieron del sistema solar marchan en diferentes direcciones y a distintas velocidades. A la fecha, siguen generando señales, pues aún no se agotan sus fuentes (radiactivas) de energía.

Vista cercana del mensaje
a bordo de las sondas Viajero.

Una de las 118 imágenes registradas en el disco de las sondas Viajero. Todas pretenden mostrar cómo somos y cómo es nuestro planeta.

¿Cuándo llegarán los mensajes?

Las sondas Viajero son los ingenios más veloces construidos por el hombre. Sin embargo, las estrellas se encuentran a distancias tan enormes que incluso esos artefactos tardarán al menos decenas de miles de años en acercarse a ellas. Es muy triste percatarse de que nunca sabremos si nuestros mensajes fueron recibidos.

El objetivo principal de las sondas Viajero no fue el de enviar un mensaje a los extraterrestres, sino estudiar el sistema solar exterior. Prácticamente todas las imágenes de buena calidad —y los conocimientos— que tenemos de Júpiter, Saturno, Urano y Neptuno se las debemos a ellas.

¿Cuándo llegarán a su objetivo los mensajes que lle van las sondas Pionero y Viajero? No lo sabemos cor certeza, porque ninguna de ellas va dirigida a un obje tivo específico. Las direcciones en que salieron de sistema solar fueron determinadas por el azar, y no hemos limitado a aprovechar el hecho de que enfilar rumbo a las estrellas para colocarles esos mensajes con la esperanza de que alguna vez se acerquen lo su ficiente a un planeta habitado para que las detecten recuperen otros seres. Lo único que podemos hace es esperar y especular sobre su futuro.

Ya vimos que la Pionero 10 fue la primera sonda que salió del sistema solar. En su momento, fue el objet más veloz construido por el hombre. Se desplazaba a 40 000 kilómetros por hora, una velocidad que, er términos terrestres, es en verdad impresionante. E más de 40 veces mayo que la de los aviones cc merciales, de manera qu un viaje de la ciudad d México a París le tomaría unos quince minutos, un viaje a la Luna sólo nueve horas y media.

Hasta aquí todo se v bien, pero no hay que o vidar que la Luna es ape nas el astro más cercan

Una de las sondas Viajero. Las dos son idénticas. Nótese la posición del mensaje, que es la placa circular dorada fijada al exterior de la sonda.

a nosotros. La misma Pionero 10, por ejemplo, tardó un año y medio en llegar a Júpiter y, para cruzar la órbita de Plutón e iniciar su viaje a las estrellas, tardó once años más! La situación no es mucho mejor en lo que se refiere a las sondas Viajero. Hoy día, la Viajero 1 es el objeto más veloz construido por el hombre, pues marcha a unos 60 000 kilómetros por hora (y, aun así, tardó once años en cruzar la órbita de Plutón).

Un recorrido de más de diez años resultaría francamente pesado como viaje de placer, pero podríamos resistirlo en aras del avance del conocimiento científico. Sin embargo, el asunto cambia de un modo radical cuando se trata de viajar a otras estrellas. Tan sólo para ir a la *más cercana* de ellas, la Viajero 1 tardaría nada menos que ¡72 000 años! (siempre a 60 000 kilómetros por hora). Y, obviamente, para llegar a otras estrellas —por necesidad más lejanas— tardaríamos aún más. Ése es el gran problema de la travesía rumbo a las estrellas: que las distancias a que se encuentran son incomparablemente mayores que las distancias entre los planetas de nuestro sistema solar. De hecho, la Pionero 10 tardará ¡más de 2 000 000 de años! en llegar a la *primera estrella* a la que se acercará "de un modo razonable" como para que la detecten y recuperen. Es claro que las perspectivas de recibir respuesta a nuestros mensajes no son prometedoras de una manera particular. Si son hallados, descifrados y respondidos, ¡quién sabe si aún habrá quien reciba la respuesta aquí, en la Tierra!

La probabilidad de que los mensajes a bordo de las sondas Pionero y Viajero sean encontrados por seres extraterrestres es extraordinariamente pequeña. Las distancias que nos separan de las estrellas son tan grandes que pasarán millones de años antes de que esos ingenios se acerquen a alguna de ellas. En realidad, más que intentos desesperados de establecer contacto con extraterrestres, son una prueba de nuestra fe en que no estamos solos en el Universo.

Trayectorias
de las sondas
Pionero y Viajero.

¿A qué distancia estamos de otras estrellas?

Las distancias entre las estrellas son tan grandes que rebasan nuestra capacidad de comprensión si las expresamos en unidades conocidas, como metros o kilómetros. Una manera sencilla de darnos una idea de su magnitud es a través de un modelo a escala.

En realidad, *Alfa Centauri* no es una sola estrella, sino un sistema formado por tres estrellas. La más brillante de ellas es muy semejante al Sol y la más débil es unas 250 veces menos luminosa. Esta última se halla un poco más cerca de nosotros que las otras dos y es, por tanto, la estrella más cercana al Sol. Por eso la hemos llamado *Proxima Centauri*.

Para darnos una idea más precisa de la clase de viaje que han emprendido las sondas Pionero y Viajero, empecemos por tratar de comprender, por medio de un modelo a escala, las distancias a otros sistemas planetarios. Ya vimos que es muy probable que todas las estrellas tengan planetas. Supongamos que es así. Entonces, ¿qué tan lejos estamos de otros planetas? ¡Pues igual de lejos que de otras estrellas! Y aquí entramos de lleno en el principal problema que se nos presenta para contactar otras civilizaciones: el problema de las distancias.

Las distancias entre las estrellas son tan grandes que rebasan nuestra capacidad de comprensión. Por supuesto, podríamos expresarlas en metros, en kilómetros o en cualquier otra unidad de distancia, pero eso no nos daría una idea de su verdadera magnitud. Por eso, los astrónomos han inventado una nueva unidad para medirlas: el *año luz**. Un año luz es la distancia que recorre la luz en un año. Como la luz viaja a 300 000 kilómetros por segundo —es decir, recorre 300 000 kilómetros cada segundo—, y como un año tiene poco más de 31 000 000 de segundos, un año luz equivale a ¡9 450 000 000 000 kilómetros! El lector estará de acuerdo en que este número no nos dice nada, simplemente, está fuera de nuestra comprensión.

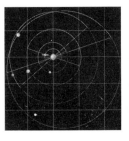

El sistema solar a escala. Las órbitas de los planetas exteriores son tan grandes que en la figura no se alcanzan a distinguir las de los planetas interiores.

Volvamos ahora al asunto que nos interesa. ¿A qué distancia de nosotros están las estrellas? Por lo pronto, la más cercana —llamada *Alfa Centauri*— está a 4.3 años luz (unos 40 millones de millones de kilómetros). Esto significa que, de viajar a la velocidad de la luz, tardaríamos poco más de cuatro años y tres meses en llegar a ella. Para visualizar la situación hagamos un modelo a escala.

Supongamos que la distancia de la Tierra al Sol fuera de un metro. Entonces, ese astro sería una bolita de unos nueve milímetros de diámetro (un chícharo) y la Tierra, que es 110 veces menor, sería una bolita de sólo 80 micras de diámetro (como un microbio; es decir, sería invisible a simple vista). Júpiter, el planeta más grande del sistema solar, sería una bolita diez veces menor que el Sol (más o menos de un milímetro de diámetro) y estaría colocado a cinco metros del chícharo; y Plutón, el planeta más alejado del Sol, estaría a unos 40 metros del chícharo que representa al Sol (y como es unas cuatro veces más pequeño que la Tierra, tampoco sería visible a simple vista).

¿Y *Alfa Centauri*? Pues sería otro chícharo —porque es muy semejante al Sol— y estaría nada menos que ¡a 270 kilómetros del chícharo-Sol! Y entre los dos chícharos... sólo el espacio vacío. Y eso que *Alfa Centauri* es la estrella más cercana al Sol. ¿Verdad que las estrellas están muy lejos unas de otras?

Las estrellas son muy grandes comparadas con los planetas, pero las distancias entre ellas son incomparablemente mayores. Si pudiéramos ver al Universo "desde afuera", lo que observaríamos sería un espacio prácticamente vacío, apenas interrumpido por pequeñísimas acumulaciones luminosas de materia —las estrellas— rodeadas por acumulaciones opacas aún más pequeñas: los planetas.

Las estrellas más cercanas al Sol. La figura corresponde a diez años luz de arriba abajo y de derecha a izquierda.

¿Qué tan lejos están los extraterrestres?

Las estrellas forman gigantescos conglomerados llamados *galaxias**. En el Universo hay más de 100 000 millones de ellas, pero están tan lejos unas de otras que sólo podemos aspirar a hacer contacto con seres de la galaxia a la que pertenece nuestro Sol.

Hay tres tipos de galaxias: espirales, elípticas e irregulares. Las espirales se caracterizan por tener un núcleo del cual emanan dos o más brazos que le dan forma de remolino (la Vía Láctea es una de ellas). Las elípticas son como huevos formados por estrellas y las irregulares no tienen forma definida.

Las estrellas no vagan solas por el espacio. Todas forman parte de enormes conglomerados de estrellas, gas y polvo, llamados galaxias (las galaxias también contienen objetos más raros, como pulsares y *agujeros negros**. La galaxia más importante para nosotros es, desde luego, la que contiene al Sol. Se llama Vía Láctea y contiene unos 100 000 millones de estrellas. Es extremadamente plana, como una tortilla, y posee unos brazos que le dan forma de rehilete; por eso decimos que es una galaxia espiral. Mide unos 100 000 años luz de lado a lado, y el Sol está a unos 30 000 años luz de su centro (¡otra vez no estamos en el centro!).

En general, una galaxia puede medir desde miles hasta centenares de miles de años luz de un extremo a otro y puede contener desde decenas de millones hasta centenares de miles de millones de estrellas. ¡Y conocemos unos 100 000 millones de galaxias! Las más cercanas están a millones de años luz de nosotros y las más lejanas a miles de millones de años luz. Estas distancias son tan increíblemente grandes que sólo en las galaxias más cercanas alcanzamos a distinguir estrellas individuales (y eso, con nuestros telescopios más potentes). Debido a estas distancias, es altamente improbable que alguna vez consigamos establecer contacto con seres de otra galaxia. Por ello, de aquí en adelante nos limitaremos a analizar las posibilidades de contacto solamente con seres de nuestra propia galaxia.

Dibujo esquemático de nuestra galaxia, la Vía Láctea. Nótese que el Sol está muy lejos del centro.

Regresemos ahora al asunto de la vida extraterrestre. Para empezar, ¿a qué distancia de nosotros está la civilización más cercana? Si *todas* las estrellas tuviesen al menos un planeta habitado, entonces la distancia a la civilización más cercana sería igual a la distancia a la estrella más cercana (en nuestro caso, poco más de cuatro años luz). Pero eso no es posible porque, según hemos visto, no todas las estrellas pueden tener planetas habitados.

Entonces, ¿cuántas estrellas pueden tener planetas habitados? Eso depende de una serie de suposiciones que no es posible explicar en este breve espacio. Lo importante es que, tras realizar los cálculos correspondientes, los astrónomos han concluido que, *en el mejor de los casos,* podría haber, en este momento, hasta ¡100 000 civilizaciones en nuestra galaxia! (en el peor de los casos habría sólo una: nosotros). Aunque tal número parece muy grande, la galaxia es tan enorme que, aun en el caso optimista, la distancia a la civilización más cercana sería de unos 700 años luz, o sea, ¡más de 100 veces más lejos que la estrella más cercana! En estas condiciones, visitarnos unos a otros resulta prácticamente imposible. Por eso ningún científico serio acepta que estemos siendo visitados por extraterrestres.

Las galaxias más grandes pueden tener cientos de miles de millones de estrellas, cada una rodeada por sus correspondientes planetas. Sin embargo, no todas contarían con planetas habitados, pues las hay que viven tan poco que no hay tiempo para que surja la vida en torno a ellas. Los cálculos más optimistas indican que podría haber hasta 100 000 civilizaciones en nuestra galaxia, en cuyo caso la más cercana a nosotros estaría a unos 700 años luz de distancia.

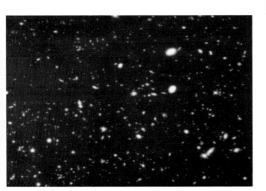

En esta imagen, tomada por el Telescopio Espacial Hubble, cada mancha y cada punto luminoso son una galaxia. La gran mayoría de las que se ven en la fotografía se encuentran a miles de millones de años luz de nosotros.

El viaje interestelar

El principal problema del viaje interestelar es que no es posible viajar a velocidades tan grandes como queramos. En el Universo hay una velocidad máxima, que es la velocidad de la luz, y eso es algo que ninguna civilización puede evadir. En consecuencia, un viaje a otra estrella duraría mucho más que la vida de un ser humano.

Se ha especulado sobre la posible existencia de partículas que viajan más rápido que la luz. Estas partículas, llamadas taquiones, se predicen en ciertas ecuaciones, pero hasta ahora no pasan de ser entes imaginarios, pues no se ha encontrado ninguna prueba de que existan y, por ello, poco a poco han sido olvidadas.

La galaxia de Andrómeda está a 2 000 000 de años luz de nosotros. Eso significa que el mínimo tiempo que duraría un viaje a ella son 2 000 000 de años.

¿Por qué estamos tan convencidos de la impracticabilidad de un viaje de sólo 700 años luz? A fin de cuentas, no es un viaje tan largo, si lo comparamos con las dimensiones de nuestra galaxia; que hoy no lo podamos hacer no significa, necesariamente, que nunca lo lograremos. ¿O es que, acaso, ya no vamos a progresar?

Estas dudas serían válidas si el problema fuera sólo tecnológico. Pero no es así: las limitaciones del viaje a las estrellas no provienen de nuestro atraso tecnológico, sino de las leyes de la física. Y esas leyes nos gobiernan, tanto a nosotros, como a nuestros antepasados cavernícolas, como a cualquier otro ser del Universo, por adelantado que esté.

Para viajar a una estrella a 700 años luz de distancia en un tiempo "razonable" —digamos, diez años— tendríamos que viajar a una velocidad 70 veces mayor que la de la luz. "Y ¿cuál es el problema?", dirá el lector, "es cuestión de esperar a alcanzar el grado de avance tecnológico que nos permita hacerlo".

Por desgracia, eso no es posible. Por mucho que avancemos, y por más que nos esforcemos, hay una velocidad límite que no podemos rebasar, ni nosotros ni nadie, por avanzada que sea su civilización. Ese límite es la velocidad de la luz: nada puede rebasarla y ningún objeto material puede siquiera alcanzarla. La razón es que ésa es una ley de la física, y las leyes de la física son inviolables, porque son, simplemente, las reglas de acuerdo con las cuales funciona el Universo. Por supuesto, el Universo *podría* haber sido de otra manera, pero no lo fue: sencillamente, es como es. Y resulta que, en él la velocidad máxima que se puede alcanzar es la de la luz. Este descubrimiento fue hecho en 1905 por el físico alemán Albert Einstein (1879-1955), y es uno de los postulados fundamentales de su famosa Teoría de la Relatividad Especial.

El no poder avanzar tan rápido como queramos es lo que limita severamente nuestra posibilidad de emprender viajes a otras estrellas. Como una nave no puede avanzar ni siquiera a la velocidad de la luz, dirigirse a una estrella situada a 700 años luz de distancia tomará, por fuerza, más de 700 años. Y esto es válido tanto para nosotros como para cualquier civilización, por adelantada que se halle. Y si una travesía de 700 años resulta poco atractiva —¿quién querría hacerla?—, qué decir de viajes más largos, por ejemplo al centro de nuestra galaxia, donde el tiempo de recorrido sería ¡más de 30 000 años! Es difícil pensar que otras civilizaciones se arriesgarían a realizar este tipo de excursiones, sobre todo si consideramos que después de pasar miles de años a bordo de una nave lo más probable es que llegaran a una estrella ¡sin planetas habitados! Y eso, suponiendo que los extraterrestres vivieran miles de años pues, de lo contrario, los que llegarían a su destino no serían los que iniciaron el viaje, sino sus tatara-tatara-tatara-tataranietos.

La principal dificultad del viaje espacial son las enormes distancias entre las estrellas. Nuestra galaxia mide 100 000 años luz de lado a lado, lo que significa que tardaríamos 100 000 años en ir de un extremo a otro si pudiésemos viajar a la velocidad de la luz. Pero ni siquiera eso es posible, pues nada material puede viajar a la velocidad de la luz. Y si no podemos explorar nuestra propia galaxia, ¡qué decir de viajar a otras!

La Teoría de la Relatividad fue propuesta por el físico alemán —posteriormente nacionalizado estadounidense— Albert Einstein.

El viaje interestelar: combustible

Un segundo problema del viaje interestelar es el combustible. El viaje tendría que realizarse en un cohete que, para recorrer las distancias que nos separan de las estrellas, requeriría una cantidad enorme de combustible, aun cuando utilizase el mejor teóricamente posible.

El cohete más grande que se ha construido es el Saturno V. Fue, por ejemplo, el que se empleó para llevar a los astronautas del Apolo 11 a la Luna. Medía 110 metros de altura y su peso, en el momento del lanzamiento, superaba las 2 000 toneladas. La mayor parte del peso correspondería al combustible.

El primer análisis detallado de los requerimientos de un viaje espacial fue elaborado a fines del siglo XIX por el científico ruso Konstantin Tsiolkovsky (1857-1935). Por ello se suele considerarlo el padre de la astronáutica.

La duración no es el único problema del viaje interestelar. Las leyes de la física imponen otras restricciones. Para empezar, está el problema del medio de transporte. No podemos usar ninguno de los vehículos más comunes —como automóviles o aviones—, porque todos ellos necesitan aire para funcionar y en el espacio no lo hay. Por eso, tenemos que usar el único medio de transporte que puede impulsarse incluso en el vacío del espacio: el cohete.

Sin embargo, los cohetes tienen un gran problema. La cantidad de combustible necesaria para alcanzar la velocidad requerida depende de la velocidad que se desea alcanzar y del combustible empleado. Y entre mayor sea la velocidad que queremos alcanzar, *muchísimo mayor* es la cantidad de combustible que debemos gastar.

Un ejemplo ilustrativo es el gasto de combustible que hay que hacer sólo para ir al espacio. Para salir de la Tierra, es necesario imprimir a la nave una velocidad de 11.2 kilómetros por segundo (a la que se llama *velocidad de escape**, porque la requiere *cualquier cosa* para salir de la Tierra). Con los combustibles actuales, para imprimirle esa velocidad a un kilogramo *de lo que sea* se requieren 162 kilogramos de combustible. Visto de otra manera, por cada kilogramo que salga de la Tierra necesitamos 162 kilogramos de combustible. Una nave de diez toneladas, por ejemplo, debe pesar ¡1 630 toneladas antes de ser lanzada! De esas 1 630 toneladas 1 620 son de combustible y las diez restantes son la nave que, a final de cuentas, va a abandonar la Tierra. Quien haya visto el lanzamiento de una sonda espacial entenderá ahora por qué son tan grandes los cohetes que lanzan naves al espacio: no son más que enormes tanques de combustible, en cuya punta se encuentra la relativamente pequeña sonda que debe llegar al destino final.

Lo anterior es lo que requerimos sólo para salir de la Tierra. Ello representa un problema grave, pero lo hemos resuelto, y nuestras sondas han visitado casi todos los planetas del sistema solar. Por desgracia, para viajar a las estrellas no basta con salir de la Tierra: también hay que salir del sistema solar. Y, para ello, la nave debe alcanzar una velocidad de 42 kilómetros por segundo. Los mismos cálculos indican que, en este caso, por cada kilogramo que llegue a esa velocidad necesitamos ¡más de 200 000 000 de kilogramos de combustible! Y eso es algo que, por ahora, no podemos hacer.

¿Cómo fue, entonces, que logramos enviar las sondas Pionero y Viajero hacia las estrellas? La respuesta es: ¡no lo hicimos nosotros! El impulso necesario les fue impartido por la fuerza gravitatoria de algún planeta: Júpiter a la Pionero 10 y Júpiter y Saturno a la Viajero 1. Sin embargo, las velocidades que se logran con este método siguen siendo demasiado pequeñas para el viaje interestelar.

El cohete más poderoso jamás construido fue el Saturno V. Uno de ellos fue el que llevó a los primeros hombres a la Luna.

El gran problema de los cohetes es el desproporcionado incremento de la cantidad de combustible necesario para producir un aumento determinado de la velocidad con la propia velocidad. Por ejemplo, si para que un kilogramo alcance una velocidad de 100 kilómetros por hora se requirieran cien kilogramos de combustible, entonces para que llegara a una velocidad de 200 kilómetros por hora (el doble) se requerirían ¡10.000 kilogramos de combustible! Los científicos expresan este hecho diciendo que la cantidad de combustible necesaria para alcanzar cierta velocidad crece exponencialmente con la velocidad.

El viaje interestelar: el combustible perfecto

Los combustibles actuales son demasiado ineficientes para llevarnos a las estrellas, pero es lógico pensar que el progreso tecnológico nos permitirá elaborar combustibles mucho mejores en el futuro. Tal vez, incluso, lleguemos a fabricar un combustible perfecto. ¿Podremos entonces viajar a las estrellas?

Otros combustibles que podríamos usar serían los basados en la *fisión** o la *fusión nuclear**. Los primeros serían unas 100 000 veces más eficientes que los actuales y los segundos tendrían una eficiencia 1 000 veces mayor que los anteriores. Sin embargo, la fisión es 1 000 veces menos eficiente que la fusión y la fusión 100 veces menos eficiente que la aniquilación, de manera que ninguno de ellos serviría para viajar a las estrellas.

Cuando cierta cantidad de materia se encuentra con una cantidad igual de antimateria, ambas se *aniquilan,* proceso durante el cual ambas liberan toda su energía en forma de radiación.

Como hemos visto, viajar a las estrellas con los combustibles actuales es prácticamente imposible por las enormes cantidades que se requerirían de esos materiales. Esto se debe a que los combustibles actuales son muy ineficientes, pues sólo convierten en energía útil dos cienmilmillonésimas partes de su contenido total de energía. Desde luego, con ellos el desperdicio de energía es inmenso; sólo se aprovecha una pequeñísima parte para comunicarle velocidad a la nave, y a ello se debe que necesitemos tanto combustible para alcanzar la velocidad deseada. Si encontráramos un combustible más eficiente, la cantidad necesaria para alcanzar una velocidad determinada sería menor y el viaje se facilitaría.

Aquí no es lugar para timideces, así que supongamos que para el viaje empleamos un combustible ideal: el combustible perfecto. Es claro que ese combustible sería aquel que convertiría *todo* su contenido energético en energía útil. Pues bien, ese combustible existe: es una combinación de materia con *antimateria** en partes iguales. Como la materia y

partícula   antipartícula

encuentro

rayos gamma

aniquilación

la antimateria se aniquilan al ponerse en contacto y se convierten por completo en energía, ese combustible tiene una eficiencia del ciento por ciento. Tal proceso se llama *aniquilación**; desde luego, estamos muy lejos de lograrlo (en cantidades grandes), pero podríamos suponer que una civilización muy avanzada ya ha logrado hacerlo. Conjeturemos, entonces, que usamos el combustible perfecto y veamos qué cantidades necesitaríamos para un viaje espacial.

Digamos que deseamos ir a una estrella situada a diez años luz de distancia. Como el viaje será largo (durará al menos diez años), hemos de cuidar que no les suceda nada a los tripulantes. La experiencia nos ha mostrado que un ser humano que vive mucho tiempo en condiciones de ingravidez sufre descalcificación de los huesos pues, en ausencia de gravedad (peso), no los necesita y empiezan a atrofiarse. Para evitarlo, es preciso, durante el viaje, mantener la nave con una aceleración igual a la de la gravedad; así, los tripulantes mantendrán su peso normal y se sentirán como en casa. En estas condiciones, el viaje de ida y vuelta a una distancia de diez años luz requerirá ¡más de 22 toneladas de combustible (once de materia y once de antimateria) por cada kilogramo que llegue de regreso a la Tierra! Si el viaje fuera hecho por un astronauta de 70 kilogramos, en una nave de sólo diez kilogramos de peso (incluido el casco de la nave, el motor, el baño, una cama, alimentos para diez años y un libro de crucigramas, para que el astronauta no se aburra), el vehículo saldría de la Tierra cargando ¡1 800 toneladas de combustible! (almacenadas quién sabe dónde, pues recuérdese que todo el casco pesa menos de diez kilogramos). Y eso para transportar a un astronauta sólo "de ida", en una nave ridículamente liviana, a una distancia de apenas diez años luz.

El combustible perfecto es tan poderoso que para alcanzar una velocidad de 42 kilómetros por segundo (la necesaria para salir del sistema solar), por cada kilogramo que llegara a esa velocidad requeriríamos solamente ¡140 miligramos de combustible! Maravilloso, ¿no es cierto? Ojalá nuestra tecnología llegue alguna vez a ese nivel.

Las bombas nucleares obtienen su energía de la fusión nuclear. Por desgracia, este tipo de energía se ha utilizado, hasta ahora, con fines bélicos, aunque también para el bienestar de la humanidad. Esperemos que en un futuro cercano se emplee sólo con fines pacíficos.

El viaje interestelar: energía

Si logramos elaborar y controlar el combustible perfecto, el viaje a las estrellas parecería posible, pues se requerirían cantidades relativamente pequeñas de él. Pero hay otro problema: la cantidad de energía invertida en el viaje sería enorme.

Un punto interesante que conviene mencionar es que en un viaje interestelar los tripulantes de la nave envejecerían menos que los que nos quedáramos en la Tierra. Esto se debe a que viajarían a velocidades muy altas y, según la Teoría de la Relatividad, cuando se viaja a velocidades cercanas a la de la luz el tiempo transcurre muy lentamente. Por ejemplo, el viaje a diez años luz de distancia duraría poco menos de 12 años para nosotros y sólo cuatro años once meses para los viajeros.

El viaje imaginario que analizamos en el capítulo anterior tenía como único propósito el de exhibir la casi imposibilidad de un viaje a las estrellas, no sólo para nosotros, sino para cualquier civilización. Por un lado, supusimos que el combustible utilizado es el combustible ideal, perfecto, y eso es algo que simplemente no puede ser superado por ninguna civilización. Por otro, le asignamos a la nave un peso de diez kilogramos, y eso es algo que tampoco es probable que se pueda mejorar (y aunque se mejorara, ganaríamos a lo más diez kilogramos). Por último, el viaje fue a una distancia de diez años luz, que es apenas la diezmilésima parte de lo que mide nuestra galaxia. Y si un viaje así de corto, en condiciones francamente ridículas, resulta tan difícil, entonces, ¡qué decir de viajes más realistas y a distancias tales que nos permitieran explorar aunque sea nuestra galaxia (de otras galaxias, ya ni hablar)!

La triste conclusión es que son punto menos que imposibles. Por ejemplo, un viaje sólo "de ida" al centro de nuestra galaxia (30 000 años luz) requeriría ¡más de 956 000 toneladas de combustible, por cada kilogramo que llegara a su destino! Además, el osado aventurero que lo hiciera ¡tendría que quedarse allá, porque se trata de un viaje sin retorno! Y ¿qué tal si no hay nadie? Lo único que habríamos aprendido con el viaje es que en esa estrella particular no hubo vida. Peor aún, quienes se enterarían de eso serían nuestros descendientes, pues hay que recordar que el viaje duraría más de 30 000 años. ¿Alguien se apunta?

Por si lo anterior fuera poco, todavía hay otro problema: la energía invertida en el viaje. El viaje de 80 kilogramos a diez años luz no costaría mucho: sólo la energía necesaria para mantener el actual consumo energético *total* de la Tierra (electricidad, petróleo, carbón, energía nuclear, etc.) ¡durante cuatro años y medio! Y el viaje al centro de la galaxia utilizaría tanta energía como la Tierra (al ritmo actual) en ¡29 millones de años!

Éste es, tal vez, el mayor problema del viaje interestelar: la enorme cantidad de energía que consume. ¿Qué civilización "inteligente" gastaría tanta energía sólo para ir a otra estrella "a ver si hay alguien"? ¿Quién dejaría su planeta oscuro, inactivo y muerto durante años sólo por satisfacer su curiosidad? Peor todavía si recordamos que los mayores problemas planteados por el avance tecnológico son, precisamente, la escasez de energía y el agotamiento de los recursos energéticos naturales. Por eso, no obstante nuestra certeza de que debe haber vida en otros lugares, los científicos no creemos que los extraterrestres nos visiten. Resulta demasiado absurdo. De hecho, si lo hicieran, sería más bien una muestra de que no son inteligentes.

Tal vez el principal problema del viaje interestelar sea el colosal consumo de energía que se requiere incluso en viajes a estrellas relativamente cercanas. A medida que hemos ido avanzando tecnológicamente, hemos ido requiriendo cantidades cada vez mayores de energía para nuestras actividades. Como esto parece una característica general del progreso, es altamente improbable que una civilización más avanzada que la nuestra invierta grandes cantidades de energía en explorar la galaxia.

Si empleáramos para un viaje espacial toda la energía que se consume en nuestro planeta durante cuatro años y medio, lograríamos llegar hasta una distancia de apenas diez años luz. Las luces nocturnas no brillarían durante esos cuatro años y medio.

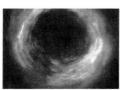

En algunas novelas de ciencia ficción se ha sugerido que los agujeros negros pueden usarse para viajar por el Universo. ¡Lástima que sean sólo novelas!

OVNIS 1 Mucho se ha hablado de que somos visitados por seres extraterrestres y que una prueba palpable de ello son los famosos OVNIS. Sin embargo, las únicas pruebas de ello con que contamos, hasta ahora, se reducen a testimonios visuales, fotográficos o videograbados, todos los cuales carecen de valor científico.

Los psicólogos han realizado numerosos experimentos con el fin de evaluar la confiabilidad de testigos oculares en casos criminales. Para ello, a un grupo de "testigos" se les presenta una escena filmada o actuada y después se les pide que la describan. El resultado es abrumador: ¡todas las versiones son diferentes! Muchos incluso "recuerdan claramente" detalles que ni siquiera aparecen en la escena.

"Si el viaje interestelar es prácticamente imposible", dirá el lector, "entonces, ¿qué son los famosos OVNIS?" Para discutir este asunto de un modo racional, lo primero que necesitamos es definir con precisión los términos que usaremos. Para empezar, la palabra OVNI suele emplearse para referirse a una nave extraterrestre tripulada, y eso es un error. Desde un punto de vista formal, un OVNI es, simplemente, un Objeto Volador No Identificado, es decir algo que vemos en el cielo y *no sabemos* qué es. En este sentido, por supuesto que existen los OVNIS. No hay día en que no veamos algo en el cielo que no sabemos qué es. Un pájaro, un avión, una nube o un globo pueden ser un OVNI; basta con que no alcancemos a distinguir qué son. En cambio, una nave extraterrestre tripulada no es un OVNI, puesto que ya sabemos qué es. Por eso aquí las llamaremos por su nombre original: platos voladores.

La duda, entonces, es si existen los platos voladores. Y la experiencia señala como más probable que *no*, porque hasta ahora no hay ninguna prueba, ni siquiera medianamente convincente, de que existan. "¡Cómo que no hay pruebas", dirá el lector, "si yo he visto

Kenneth Arnold, iniciador involuntario del mito de los platos voladores.

decenas de fotografías y videos en revistas y en la televisión!" Sin duda, le respondemos, pero resulta que
ni las fotografías ni los videos son testimonios con valor científico. Yo he visto videos de un famoso ilusio-
nista estadounidense volando de un lado a otro por el
escenario de un teatro y, a pesar de ello, estoy convencido de que ese caballero no sabe volar (también lo he
visto en televisión desaparecer la Estatua de la Liber-
tad y atravesar la Gran Muralla China, y tampoco creo
que lo haya hecho en realidad).

¿Qué hay, entonces, de los incontables testigos oculares? Exactamente lo mismo. Los testimonios perso-
nales tampoco tienen valor científico, porque no demuestran nada. Por ejemplo, una noche más de 100
personas decían observar un OVNI en una calle de la
ciudad de México. Como yo no veía nada, me acerqué
a una de ellas y le pregunté dónde estaba el OVNI. "Allí,
justo a la derecha de esa estrella brillante", me respon-
dió. Hice mi mejor esfuerzo, pero, por lo visto, el di-
choso OVNI se negaba a que yo lo viera. Entonces, re-
petí mi pregunta a otra persona. "Allí", me dijo, ¡y se-
ñaló en una dirección totalmente diferente! A fin de
cuentas, descubrí que cada quien veía al OVNI en un
lugar distinto.

Y si eso ocurre cuando hay muchos testigos, ¿qué
tan confiables pueden ser los testimonios de indivi-
duos aislados? Porque los extraterrestres, probable-
mente por timidez, suelen aparecer sólo durante la
noche, en lugares oscuros y apartados, y ante testigos
que se encuentran solos.

El mito de los platos voladores es relativamente reciente. Lo inició un vendedor de equipos contra incendios llamado Kenneth Arnold en 1947. Cuando viajaba en su avioneta, Arnold observó en el cielo nueve objetos brillantes cuyo comportamiento describió más tarde "como platos de postre rebotando en agua". A partir de esta frase, un reportero inventó el hoy famoso término "platos voladores".

Fotografía "típica" de
un supuesto plato volador.
Imágenes como ésta carecen
por completo de valor como
pruebas científicas.

OVNIS 2 Resulta en extremo difícil analizar científicamente los reportes de OVNIS porque no se sabe de antemano dónde van a aparecer. Sin embargo, la Fuerza Aérea Estadounidense investigó, hasta donde le fue posible, numerosos reportes a lo largo de 17 años y concluyó que no hay razón para pensar que se refieren a fenómenos de origen desconocido.

Un ejemplo más bien cómico de por qué los reportes de OVNIS son muy poco confiables es el caso —ya histórico— de unos bombarderos B-29 que intentaron abatir nada menos que ¡al planeta Venus!, porque creyeron que era un avión enemigo que los perseguía. Lo importante de este hecho es que nos demuestra que hasta pilotos muy experimentados pueden equivocarse al juzgar la índole de objetos en el cielo.

Por supuesto, los argumentos del capítulo anterior no demuestran que no existen los platos voladores. Lo más que demuestran es que ni los videos ni las fotografías ni los avistamientos son pruebas concluyentes de su existencia. "Entonces", dirá el lector, "¿no es lógico pensar que hay tantos avistamientos que algunos deben ser verdaderos?" "¿O acaso afirma usted que todos los reportes son equivocaciones?" ¡Por supuesto que no! Pero la única manera de saber de qué se trata es a través de observaciones y mediciones cuidadosas en el lugar y momento del supuesto avistamiento, y eso es imposible, pues no sabemos de antemano dónde va a ocurrir.

El problema principal es la imaginación y creatividad de los testigos primarios, así como de las multitudes que acuden inmediatamente al lugar de los hechos, de los "expertos" que ofrecen explicaciones esotéricas, de los medios de comunicación, etc. Si el testigo ve "una luz misteriosa" en el cielo, tras unas horas ésta se convierte mágicamente (sin ninguna evidencia) en una nave extraterrestre, después en una nave extraterrestre tripulada y, tras unos días en una nave extraterrestre tripulada por una raza que viene de las Pléyades (un grupo de estrellas) a decirnos que seamos buenos; su existencia es conocida, aunque negada por la NASA, que tiene en

El Objeto Volador No Identificado mejor identificado es el planeta Venus. Esta fotografía muestra por qué. ¿No es un excelente OVNI?

52 + 53

su poder a varios especímenes de esa raza para estudiarlos. En tales condiciones, ¿quién puede llevar a cabo un estudio serio del fenómeno original?

Sin embargo, se ha intentado. En 1952, la Fuerza Aérea Estadounidense inició un proyecto cuyo propósito era investigar los reportes de avistamientos y tratar de explicar su origen. Este proyecto fue el famoso Proyecto Libro Azul (Project Blue Book), que duró 17 años. Es, sin duda, el único estudio serio, sistemático y duradero que se ha llevado a cabo aunque, en realidad, lo que le preocupaba a la Fuerza Aérea no era una posible invasión extraterrestre, sino que los supuestos platos voladores fueran artefactos espías de alguna potencia extranjera. El resultado fue que, de un total de 12 618 reportes al respecto, sólo 701 (el 5.5%) quedaron inexplicados.

"¡Ajá!", dirá el lector, "¡ésos son los buenos!" Tal vez; pero habría que demostrarlo. Porque el hecho de que se desconozca la índole de ciertos objetos avistados no implica que se trata de naves extraterrestres tripuladas. Podrían serlo, pero también podrían ser cualquier otra cosa. En realidad, los casos inexplicados no lo son porque sean inexplicables, sino porque no hubo información suficiente para saber con certeza de qué se trataba. Y las investigaciones realizadas desde entonces a la fecha —por científicos (pocas) y por fervientes creyentes (muchas)— no han cambiado en lo más mínimo el panorama. La triste realidad sigue siendo que, hasta ahora, no hay en absoluto ninguna prueba real de platos voladores. El lector interesado puede encontrar una excelente historia en castellano de los platos voladores en la dirección de Internet http://www.ctv.es/USERS/vader.

Las conclusiones del Proyecto Libro Azul fueron tres: 1) Los OVNIS no representan amenaza alguna para la seguridad nacional. 2) Los OVNIS no poseen ninguna característica técnica o científica que implique conocimientos más avanzados de los que poseemos. 3) No hay ninguna evidencia de que los OVNIS sean naves extraterrestres.

Las nubes también han sido tomadas por naves extraterrestres en numerosas ocasiones. Esta imagen de una nube muestra por qué.

OVNIS 3 Tras más de 50 años de supuestos avistamientos, sigue sin haber una sola prueba medianamente convincente de que existen los platos voladores. La explicación más razonable del fenómeno es que la respuesta no está en el cielo, sino en nuestras propias mentes.

Es probable que el pensamiento mágico sea una necesidad humana. De ser así, con el paso del tiempo la moda de los extraterrestres llegará a su fin para ser sustituida por alguna otra idea esotérica que, por ahora, aún no podemos imaginar.

Si los OVNIS no son naves extraterrestres, entonces ¿qué son? ¿Por qué tanta gente cree que son platos voladores? Vamos por partes. ¿Qué son los OVNIS? La respuesta es que no son un fenómeno único; cada caso es diferente. Por ejemplo, según datos del Proyecto Libro Azul, en 1963 se registraron un total de 382 reportes de avistamientos, de los cuales 82 resultaron ser confusiones con objetos astronómicos o meteorológicos (planetas, estrellas, meteoros, una aurora, imágenes del Sol e incluso la Luna misma); 95 fueron aviones o globos, 81 eran satélites artificiales, 55 casos fueron imposibles de investigar por falta de información y sólo 19 no pudieron ser explicados. Conclusión: la enorme mayoría de los OVNIS son confusiones con objetos o fenómenos naturales.

"¡Momento!", dirá el lector, "¿y los 19 inexplicados?" Aquí entramos de lleno en la segunda pregunta: ¿por qué hay tanta gente convencida de que los OVNIS son de origen extraterrestre? La respuesta es: porque han aplicado mal la lógica. Se han convencido porque dan por hecho que la ausencia de una explicación para un "fenómeno OVNI" implica que se trata de una nave extraterrestre tripulada ("¿No me puedes decir qué es la lucecita —o la mancha oscura, o lo que sea— que se ve en este video?" "¡Entonces es una nave extraterrestre tripulada!"). Sin embargo, este argumento es falso, porque presupone que la única explicación alternativa al fe-

Un ejemplo de lo fácil que es confundir a nuestros sentidos es esta imagen de un tapón de automóvil lanzado al aire. ¿No es un perfecto plato volador?

nómeno es que se trata de un plato volador. "Pero, ¿qué otra cosa podría ser?", dicen los creyentes. ¡Pues podría ser muchísimas otras cosas, desde un fenómeno meteorológico aún desconocido hasta Supermán, que a fin de cuentas es igual de creíble (o increíble) que un plato volador!.

Por supuesto, también abundan los fraudes y engaños. A fin de cuentas, cualquier persona medianamente inteligente puede inventar una "observación" imposible de explicar en términos de las leyes naturales. Sin embargo, es interesante mencionar que el mismo Proyecto Libro Azul encontró que la gran mayoría de los reportes de avistamientos no son fraudes ni bromas pesadas, sino reportes hechos de buena fe por personas honestas que están convencidas de haber visto "algo inexplicable". Lo curioso es que esos mismos "testigos honestos" suelen cerrarse a las explicaciones convencionales, negándose a aceptar la realidad aun cuando el fenómeno haya sido totalmente aclarado. La única explicación para esta actitud es que esas personas necesitan creer en la existencia de algo más allá de nuestros conocimientos. Y ante el debilitamiento de las religiones y de los viejos conceptos mágicos de ángeles, hadas, gnomos y lo que usted quiera y desee, se aferran a los supuestos platos voladores con la misma fe que antes depositaban en esas figuras míticas.

Las leyendas en torno a los platos voladores han ido sofisticándose con el paso del tiempo. En un principio fueron simples avistamientos, después se iniciaron los contactos con los extraterrestres y hoy día —como lo anterior ya no asombra a nadie— se habla de abducciones, es decir, de secuestros de terrícolas por parte de los extraterrestres para realizar en ellos estudios biológicos.

Los primeros "platos voladores" de la década de los cuarenta fueron, casi siempre, globos sonda lanzados por meteorólogos para estudiar la alta atmósfera.

Comunicación por radio

La posibilidad más realista y eficiente de establecer contacto con los extraterrestres la representa el envío de mensajes que viajen a la velocidad de la luz. Los primeros esfuerzos en este sentido se hicieron en las décadas de los sesenta y setenta. En particular, en 1974 se envió un mensaje al espacio que llegará a su destino dentro de "sólo" 25 000 años.

El mensaje de Drake se inicia con una secuencia ordenada de los primeros diez números enteros. Según Drake, al ver que la señal recibida empieza con el uno, luego el dos, después el tres, y así sucesivamente hasta el diez, los extraterrestres advertirán que se encuentran ante un mensaje de una civilización inteligente. ¡Y se habrá establecido contacto!

Una vez aclarado que el viaje espacial es altamente improbable, ¿qué otro medio podemos usar para establecer contacto con otra civilización? Aunque contamos con varios posibles, el mejor es, sin duda, el que viaje más rápido. Y como la máxima velocidad que es dable alcanzar es la velocidad de la luz, la manera más rápida de comunicarnos con los extraterrestres consistirá en mandar mensajes que viajen a la velocidad de la luz.

Ahora bien, la luz es sólo uno entre muchos tipos de *ondas electromagnéticas**. También lo son, por ejemplo, las ondas de radio, las de televisión y los rayos X. Y como todas las ondas electromagnéticas viajan a la velocidad de la luz, podemos usar cualquiera de ellas para enviar mensajes a las estrellas. Las que resultan más prácticas, porque son las más baratas y porque las usamos todos los días, son las ondas de radio y televisión. Si los extraterrestres han llegado a la misma conclusión y quieren comunicarse con nosotros, entonces sería de esperar que nos estuvieran enviando mensajes de radio. Por ello, el primer intento serio por establecer contacto con otra civilización fue una búsqueda de señales de

El primer mensaje de radio lanzado al espacio con el fin de buscar establecer contacto con extraterrestres se envió con este gigantesco radiotelescopio, situado en Arecibo, Puerto Rico.

radio "inteligentes" procedentes de dos estrellas cercanas muy semejantes al Sol: Tau Ceti y Epsilon Eridani. El experimento, basado en una idea de Philip Morrison y Giuseppe Cocconi, se llamó Proyecto Ozma, y lo llevó a cabo el astrónomo Frank Drake en 1960. Lo que hizo fue apuntar su *radiotelescopio** (una gran antena parabólica) hacia esas dos estrellas y "escuchar", a ver si recibía alguna señal que pudiera tener sentido. El resultado fue nulo, pues no se recibió nada interesante, pero fue el principio.

Años más tarde (en 1974), el mismo Drake cambió de táctica. Esta vez él envió un mensaje al espacio. El mensaje consistía en una sucesión de puntos y rayas (como clave Morse) que, debidamente acomodados, generaban un dibujo. Pero lo importante no era el dibujo en sí, sino el inicio del mensaje, pues éste debía indicar a los extraterrestres que se trataba de un comunicado de una civilización inteligente y no de la estática normal que continuamente nos llega —y les llega— del Universo.

El mensaje se envió a un grupo esférico formado por unas 300 000 estrellas llamado M13, en la constelación de Hércules (los astrónomos lo llaman un *cúmulo globular**). El único problema es que M13 está a 25 000 años luz de nosotros. Si el mensaje es recibido y respondido, la respuesta llegará a la Tierra dentro de solamente ¡50 000 años! La perspectiva no es muy estimulante, pero es mucho mejor que los millones de años que tardarán las sondas Pionero y Viajero en llegar a alguna estrella. ¡Y quién sabe si la respuesta podría llegarnos en el año 51974!

El Proyecto Ozma se llevó a cabo entre carcajadas de la comunidad científica, según la cual buscar señales extraterrestres era una ridiculez. Sin embargo, cuando Drake envió su mensaje a las estrellas en 1974, la comunidad científica ya no se rió, pues para entonces ya se tomaba en serio la posible existencia de extraterrestres (no todos sus miembros; por ejemplo, el radioastrónomo Martin Ryle se opuso a que se enviara el mensaje).

El mensaje de Drake, debidamente descifrado. El primer renglón es la sucesión de los primeros diez números (en *código binario**), de derecha a izquierda.

Proyectos actuales

Desde hace casi 40 años los astrónomos están intentando establecer contacto con otras civilizaciones. Hoy día hay una decena de proyectos en marcha, todos ellos con la finalidad de captar señales generadas por seres inteligentes. Ello nos demuestra que los astrónomos sí creen en la existencia de vida inteligente en el Universo.

Además del Proyecto Beta, en la actualidad están operando nueve intentos de búsqueda de señales inteligentes. El más ambicioso es el Proyecto Fénix (Project Phoenix), operado por una institución privada llamada Instituto SETI (Search for ExtraTerrestrial Intelligence: Búsqueda de Inteligencia Extraterrestre), cuyo director es Frank Drake. Su dirección en Internet es http://www.seti.org/, donde el lector podrá encontrar enlaces con los demás proyectos.

Por todo lo anterior, parecería que no hay muchas esperanzas de comunicarse con extraterrestres. Pero aún queda una posibilidad. Las ondas de televisión (microondas) que generamos en la Tierra atraviesan la atmósfera y salen al espacio. En consecuencia, esas ondas pueden ser captadas por cualquiera que posea una antena parabólica suficientemente grande, es decir un radiotelescopio de gran tamaño. Por ello, querámoslo o no, hemos estado enviando al espacio señales de nuestra presencia desde que empezamos a usar ese tipo de ondas para comunicarnos entre nosotros. Y como eso ocurrió hace unos sesenta años, y las ondas de televisión viajan a la velocidad de la luz, cualquier civilización que se encuentre a menos de 60 años luz de nosotros podría saber que estamos aquí (si contara con un radiotelescopio adecuado).

De la misma manera, cualquier civilización que utilice microondas para sus comunicaciones internas está enviando al espacio señales de su presencia, y noso-

Las antenas del Proyecto Cíclope se habrían visto así.

58 + 59

tros podríamos captar esas señales si contáramos con un radiotelescopio suficientemente poderoso. Ésta es la idea básica de los intentos actuales de descubrir otras civilizaciones: buscar señales de seres inteligentes que, en principio, no están destinadas a comunicarlos con nosotros, sino a comunicarse entre sí, pero que escapan al espacio y pueden ser captadas por nuestros instrumentos.

En 1970, los astrónomos propusieron que se construyera un radiotelescopio capaz de captar ondas de televisión como las nuestras hasta una distancia de 1 000 años luz. La iniciativa se llamó Proyecto Cíclope (Project Cyclops) y en un principio fue aceptada por el Congreso de EU. El radiotelescopio tendría que medir 16 kilómetros de diámetro, que es una barbaridad, pero podía imitarse con unas 1 500 antenas parabólicas de 100 metros de diámetro cada una. Por desgracia, hubo un cambio de gobierno y el apoyo le fue retirado.

La desilusión impulsó a un grupo de científicos a crear una sociedad cuyo propósito era poner en práctica un proyecto semejante con recursos privados. La sociedad se llamó The Planetary Society (Sociedad Planetaria). Con sus limitados fondos, adquirió un pequeño radiotelescopio de 25 metros de diámetro e inició la búsqueda de señales extraterrestres en 1984, bajo el nombre de Proyecto Sentinel (Centinela), que es el título de un cuento de ciencia ficción de Arthur C. Clarke (n. 1917) donde los habitantes de la Tierra encuentran en la Luna evidencia de extraterrestres. A medida que se ha ido mejorando el equipo, el proyecto ha cambiado de nombre; primero a Proyecto Meta y desde 1996 a Proyecto Beta. Hasta ahora se han detectado 37 señales "positivas" pero, al regresar a la estrella donde se efectuó la detección, la señal no se ha repetido. Sin embargo, se están realizando esfuerzos y cualquier día podríamos despertarnos con la noticia de que finalmente hemos encontrado a los extraterrestres.

Desde el intento de Frank Drake, en 1960, por detectar señales inteligentes procedentes de Tau Ceti y Epsilon Eridani, hasta la fecha, se han llevado a cabo 70 búsquedas de señales inteligentes provenientes del espacio. Unas se han efectuado durante unas cuantas horas y otras, como el Proyecto Beta, llevan funcionando ininterrumpidamente más de diez años. Por desgracia, hasta ahora ninguna ha dado resultados positivos.

Inauguración del Proyecto Beta.

Bibliografía

Asimov, Isaac, *Civilizaciones extra-terrestres*, Barcelona, Plaza & Janés, 1979.

Davies, Paul, *Are We Alone? Philosophical Implications of the Discovery of Extraterrestrial Life,* Basic Books, 1996.

Heidmann, Jean y Storm Dunlop, *Extraterrestrial Intelligence*, Cambridge, Cambridge University Press, 1995.

Lemonick, Michael D., *Other Worlds: The Search for Life in the Universe*, Simon & Schuster, 1998.

MacGowan, Roger A. y Frederick I. Ordway III, *La inteligencia en el universo*, México, Universidad Nacional Autónoma de México, 1970.

Morrison, Philip, John Billingham y John Wolfe (eds.), *The Search for Extraterrestrial Intelligence*, Nueva York, Dover Publications, 1979.

Sagan, Carl, *La conexión cósmica*, Barcelona, Plaza & Janés, 1978.

——, *El mundo y sus demonios*, Barcelona, Planeta, 1997.

Sheaffer, Robert, *Veredicto OVNI*, Gerona, Tikal, 1994.

Shklovski, Iosif S., *Universo, vida, intelecto*, Moscú, MIR, 1977.

—— y Carl Sagan, *Intelligent Life in the Universe*, Nueva York, Dell Publishing Co., 1966.

Shostak G. Seth y Seth Shostak, *Sharing the Universe: Perspectives on Extraterrestrial Life*, Berkeley Hills Books, 1998.

Zuckermann, Ben y Michael H. Hart (eds.), *Extraterrestrials: Where are They?*, Cambridge, Cambridge University Press, 1995.

Glosario

Ácido sulfúrico. Líquido corrosivo, muy usado en la industria.

Ácidos grasos. Compuestos orgánicos que al unirse en cadenas forman las grasas.

Agujero negro. Cuerpo muy compacto, cuya atracción gravitatoria no permite escapar nada de su superficie.

Aminoácidos. Compuestos orgánicos que se unen en largas cadenas, llamadas proteínas, que son la base de la vida. Conocemos unos 20 de ellos.

Aniquilación. Proceso en que al encontrarse cierta cantidad de materia y la misma cantidad de antimateria una y otra se convierten en energía.

Antimateria. Materia formada por partículas idénticas a las comunes y corrientes, excepto por su carga y su momento magnético, que son opuestos.

Año luz. Distancia que recorre la luz en un año. Como la luz viaja 300 000 kilómetros cada segundo, un año luz equivale a 9.5 millones de millones de kilómetros.

- *Astrología*. Creencia en el poder de los astros sobre la vida humana. Fue inventada por los babilonios, hace unos 4 000 años, y, por supuesto, es totalmente falsa.

- *Astronomía*. Estudio científico del Universo. No se debe confundir jamás con la astrología.

- *Atmósfera*. La envolvente gaseosa de una estrella, un planeta o, en general, de cualquier astro.

- *Átomo*. La parte más pequeña en que puede dividirse un elemento químico sin dejar de ser ese elemento.

- *Azúcares*. Compuestos orgánicos formados por cadenas de una media docena de átomos de carbono, e hidrógeno.

- *Bacteria.* Vegetal constituido por una sola célula. Son tan pequeñas que 50 de ellas puestas en línea medirían un milímetro.
- *Campo magnético.* Propiedad que adquiere cada punto del espacio que rodea a un imán o una corriente eléctrica de ejercer una fuerza sobre imanes o corrientes eléctricas puestas en él.
- *Casquetes polares.* Regiones que rodean el polo de un planeta o satélite. En la Tierra y Marte se ven blancos porque están cubiertos de nieve, ya que son las regiones más frías.
- *Código binario.* Sistema de numeración basado en el número 2, a diferencia del decimal, basado en el número 10. En el binario, todos los números se escriben por medio de unos y ceros.
- *Cúmulo globular.* Grupo de 100 000 a 1 000 000 de estrellas, de forma esférica.
- *Densidad.* Cantidad de materia contenida en un volumen dado. Revela cuán concentrada está la materia. Por ejemplo, el fierro es más denso que el agua.
- *Fisión nuclear.* División de un núcleo atómico en dos fragmentos menores. Durante el proceso se libera energía. Es la base de la bomba atómica.
- *Fusión nuclear.* Unión de dos o más núcleos atómicos en uno mayor. En ciertos casos, durante el proceso se libera energía, llamada energía nuclear. Es la base de la bomba nuclear o bomba de hidrógeno.
- *Galaxia.* Conjunto de cientos de millones a cientos de miles de millones de estrellas, gas y polvo. Las galaxias son las unidades básicas que constituyen el Universo.
- *Galaxia espiral.* Tipo de galaxia que se caracteriza por tener dos o más brazos luminosos que emanan de su región central.
- *Gravitación.* Propiedad universal de la materia, consistente en que cualquier porción de ella atrae a cualquier otra porción.
- *Helio.* Elemento químico, gaseoso en las condiciones normales de la Tierra, que no forma compuestos. Es el segundo elemento en masa y en cantidad que hay en el Universo (el más ligero y abundante es el hidrógeno).
- *Hielo seco.* Nombre común del bióxido de carbono congelado. En la Tierra se evapora rápidamente a temperatura ambiente, pero en el frío Marte se encuentra en abundancia en los casquetes polares.
- *Luz ultravioleta.* La luz está formada por ondas electromagnéticas de diferentes tamaños. Cada tamaño corresponde a un color, pero sólo podemos ver algunos de ellos. La luz ultravioleta está formada por ondas que no podemos ver

porque son más pequeñas que las de la luz violeta.

Molécula. La parte más pequeña en que podemos subdividir una sustancia sin que deje de ser esa sustancia. Las moléculas están formadas por átomos. Las más sencillas tienen sólo uno, y las de los seres vivos tienen millones y millones de ellos.

Nucleótidos. Compuestos orgánicos que se unen en largas cadenas para formar las moléculas que son la base de la herencia.

Ondas electromagnéticas. Ondas que transmiten energía eléctrica y magnética a través del espacio.

Panspermia. Teoría según la cual la vida en la Tierra no se originó aquí mismo, sino que llegó del espacio a bordo de cometas o meteoritos.

Paramecio. Animal formado por una sola célula.

Presión atmosférica. Peso por unidad de área de toda la atmósfera de un astro. Mide la fuerza con que el aire que nos rodea tiende a oprimirnos. En Venus es 90 veces mayor que en la Tierra, al nivel del mar.

Pulsares. Estrellas muy condensadas que rotan sobre sí mismas a gran velocidad emitiendo un pulso de ondas electromagnéticas en cada vuelta. Desde la Tierra los vemos como estrellas que se prenden y apagan periódicamente, por lo general varias veces en un segundo.

- *Radiotelescopio*. Instrumento para captar las ondas de radio que proceden del Universo. Es fundamentalmente una gran antena parabólica.

- *Rayos cósmicos*. Partículas con carga eléctrica que llueven continuamente sobre la Tierra procedentes del espacio. Su característica principal es que son muy energéticos.

- *Sonda*. Artefacto construido por el hombre para viajar a través del espacio. Se diferencia de "nave" porque la sonda no es tripulada y la nave sí.

- *Supernova*. Estrella que estalla, formando en el proceso elementos químicos pesados y lanzándolos al espacio. Es el fenómeno estelar más violento que se conoce, pues emite en un segundo tanta energía como el Sol en mil millones de años.

- *Velocidad de escape*. Velocidad que debe imprimirse a un objeto cualquiera para que abandone un astro. La velocidad de escape de la Tierra es 11.2 km/s y la de la Luna 2.4 km/s.

Créditos de fotos e ilustraciones:

Acervo del Instituto de Astronomía, pp. 4, 5, 13, 26, 27, 33, 40, 43, 44, 50, 51, 54 y 55 / *The Scientif* *Companion*, p. 6 / *Enciclopedia Británica*, p. 7 / *Megaliths, Myths and Men*, p. 8 / Anglo-Australia Telescope, p. 9 / *Sky & Telescope*, pp. 11, 12, 49 y 52 / NASA, pp. 15, 16, 17, 19, 20, 21, 22, 23, 25, 30, 32, 3 37, 45 y 58 / *The Evolving Universe*, p. 18 / Adaptaciones tomadas de http://garber.simplenet.com system.html, pp. 28, 29 y 31 / *Murmullos de la Tierra*, p. 35 / Alberto García, p. 38 / Tomada de http: members.nova.org/~sol/chview, p. 39 / Space Telescope Science Institute, p. 41 / Observatorio Palom del Instituto de Tecnología de California, p. 42 / Departamento de Energía de Estados Unidos, p. 47 *Exploring the Dynamic Universe*, p. 49 / Telescopio James Clerck Maxwell de Hawaii, p. 53 / Observatori de Arecibo del National Atmospheric & Ionospheric Center, pp. 56 y 57 / Sociedad Planetaria c Pasadena, California, p. 59.

Bibliografía de las ilustraciones:

Enciclopedia Británica, t. 8, Chicago, Enciclopaedia Britannica, 1992; Lancaster Brown, Peter, *Megalith Myths and Men*, Nueva York, Taplinger Publishing, 1928; Sagan, Carl, *Murmullos de la Tierra*, Méxic Planeta, 1988; Snow, Theodore P., *Exploring the Dynamic Universe*, Minnesota, West Publishig, 198 Zelik, Michael, *The Evolving Universe*, Nueva York, John Wiley & Sons, 1991.

Diseño de portada: Miguel Marín
Diseño de interiores: Cecilia Cota
Coordinación: Luis Rojo y Carlos Mapes
Corrección: Carlos Valdés Ortiz
Tipografía: Limusa, S.A. de C.V.
Impresión y encuadernación: Sevilla Editores, S.A. de C.V.
Cuidado de producción: Francisco Rosas García

Esta obra la terminó de imprimir
la Dirección General de Publicaciones
del Consejo Nacional para la Cultura y las Artes
en la ciudad de México
durante el mes de octubre de 2006
con un tiraje de 2 000 ejemplares